FL SPA 646.2 H411m

Haxell, Kate
Mi maquina de coser y yo :
   guia de iniciacion a la
   costura

33090015906607 MAIN 07/14

YO-BZZ-547

Mi máquina
de coser y yo

NO LONGER THE PROPERTY OF
LONG BEACH PUBLIC LIBRARY

LONG BEACH PUBLIC LIBRARY
101 PACIFIC AVENUE
LONG BEACH, CA 90822

3 3090 01590 6607

Mi máquina de coser y yo

Guía de iniciación a la costura

Kate Haxell

Editora: Eva Domingo

No está permitida la reproducción total
o parcial de este libro, ni tampoco su
tratamiento informático, ni la transmisión
de ninguna forma o por cualquier medio,
ya sea electrónico, mecánico, por fotocopia
u otros métodos, sin el permiso previo
y por escrito de los titulares del *Copyright*.
Todos los modelos y patrones contenidos
en esta obra están registrados; por tanto, este
libro se vende bajo la condición de que no se
puede reproducir ninguno de ellos para su uso
comercial sin el permiso expreso por escrito
de los titulares del *Copyright*.

Primera edición: 2011
Segunda edición: 2012
Tercera edición: 2014

Título original: *Me and my Sewing Machine*
de Kate Haxell.

© 2010 *by* Breslich & Foss Limited
© 2011 de la versión española
    by Editorial El Drac, S.L.
    Marqués de Urquijo, 34. 28008 Madrid
    Tel.: 91 559 98 32. Fax: 91 541 02 35
    E-mail: info@editorialeldrac.com
    www.editorialeldrac.com

Fotografías: Dominic Harris
Diseño de cubierta: José María Alcoceba
Traducción: Ana María Aznar
Revisión técnica: Esperanza González

ISBN: 978-84-9874-173-5
Depósito Legal: M-9.084-2014
Impreso en Artes Gráficas COFÁS
Impreso en España - *Printed in Spain*

A pesar de que la autora y los editores han
puesto todos los medios a su alcance para que
la información que contiene este libro sea la
correcta, no garantizan los resultados ni se
hacen responsables de cualquier consecuencia
que pudiera producirse por el uso de la
información contenida en este libro, al no
controlar la elección de los materiales ni de
los procesos de realización.

Índice

Introducción

Convertir un trozo de tela plano en una prenda en tres dimensiones que sea al mismo tiempo útil y bella es el entretenimiento más extraordinario y satisfactorio. Has comprado este libro (o una persona encantadora te lo ha regalado) porque tú también quieres experimentar esa satisfacción, y para mí es un placer darte la bienvenida al mundo de la costura.

No recuerdo cuándo di las primeras puntadas, aunque sí recuerdo estar sentada con las piernas cruzadas en la escuela primaria cosiendo alguna cosa: la pobre Julia Lloyd se cosió la labor a la falda. Ganaba para mis gastos cosiendo etiquetas con los nombres en las ropas de colegio de mis tres hermanos, hasta en sus calcetines. Me pagaban por etiqueta (bastante poco, ahora que lo pienso) y tanto mi madre (a la que no le gustaba coser) como yo estábamos encantadas.

Desde entonces he progresado adecuadamente, he aprendido de costureras mejores que yo, de revistas, de hacerlo mal la primera vez y de libros. Sin embargo, los grandes libros de costura me han echado siempre para atrás. Contienen una enorme cantidad de información —¿se supone que la necesito toda?, ¿y para qué?—. Por eso este libro de costura es distinto. Desde lo que se debe exigir a una máquina de coser, pasando por las costuras, jaretones y cierres básicos hasta los bonitos adornos de volantes, pliegues y cintas, este libro contiene la información y técnicas necesarias para aprender a coser bien a máquina, y nada más.

No se encuentran complicadas técnicas de alta costura que las costureras de verdad no utilizan nunca, ni métodos engorrosos que no facilitan para nada la labor —ni la hacen más atractiva— ni procesos complicados para hacer lo que sea. Sí se explican paso a paso métodos que hacen más fácil la costura, aunque nunca antes se haya cosido a máquina.

Espero que tú y tu máquina de coser os hagáis amigas y que descubras el mundo que se abre ante ti.

Kate Haxell

Mi máquina de coser

Una máquina de coser no tiene por qué suponer hoy día un gran gasto: se puede comprar una máquina nueva básica, a buen precio, o bien buscar una oferta por internet en las páginas de subastas. Si se opta por esto último, hay que comprobar que lo que se compra es lo que parece.

Cómo funciona una máquina de coser

Casi todas las máquinas de coser modernas funcionan básicamente de la misma manera. Puede haber variaciones en el modo en que se coloca la canilla, en la forma de pasar el hilo de la bobina o de seleccionar las funciones, pero los principios generales son parecidos.

Naturalmente, no se requiere una explicación técnica detallada de cómo realiza cada función la máquina, pero sí conviene disponer de cierta información y por eso presento estas fotografías de mi máquina de coser con indicaciones de qué es cada elemento.

En el manual que acompaña a la máquina de coser figurarán fotografías como éstas, o diagramas, con explicaciones de esa máquina en particular. Si no se dispone de manual, pedir al fabricante si puede enviar uno o buscarlo por internet, si existe y se puede descargar. También, si tenemos cerca una tienda de máquinas de coser, se puede llevar la máquina y pedir que nos expliquen sus características.

Vista lateral

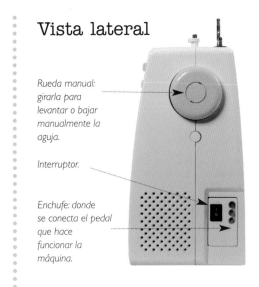

Rueda manual: girarla para levantar o bajar manualmente la aguja.

Interruptor.

Enchufe: donde se conecta el pedal que hace funcionar la máquina.

Vista frontal

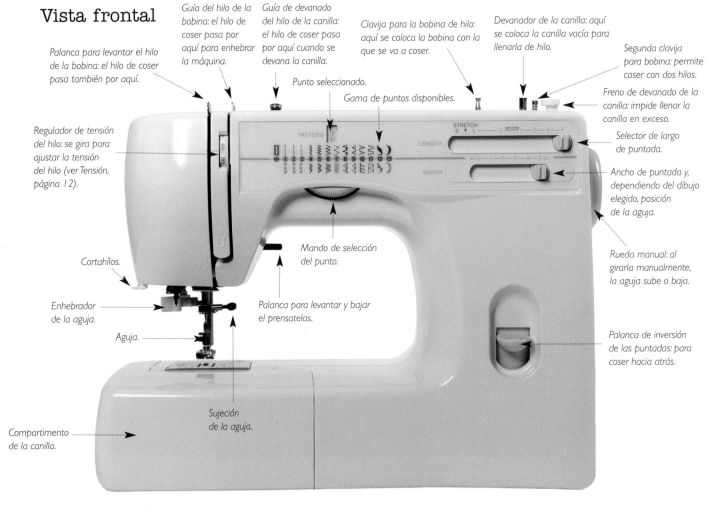

Palanca para levantar el hilo de la bobina: el hilo de coser pasa también por aquí.

Guía del hilo de la bobina: el hilo de coser pasa por aquí para enhebrar la máquina.

Guía de devanado del hilo de la canilla: el hilo de coser pasa por aquí cuando se devana la canilla.

Clavija para la bobina de hilo: aquí se coloca la bobina con la que se va a coser.

Devanador de la canilla: aquí se coloca la canilla vacía para llenarla de hilo.

Segunda clavija para bobina: permite coser con dos hilos.

Punto seleccionado.

Gama de puntos disponibles.

Freno de devanado de la canilla: impide llenar la canilla en exceso.

Regulador de tensión del hilo: se gira para ajustar la tensión del hilo (ver Tensión, página 12).

Selector de largo de puntada.

Ancho de puntada y, dependiendo del dibujo elegido, posición de la aguja.

Cortahílos.

Mando de selección del punto.

Rueda manual: al girarla manualmente, la aguja sube o baja.

Enhebrador de la aguja.

Palanca para levantar y bajar el prensatelas.

Aguja.

Palanca de inversión de las puntadas: para coser hacia atrás.

Sujeción de la aguja.

Compartimento de la canilla.

Aguja, prensatelas y placa de agujas

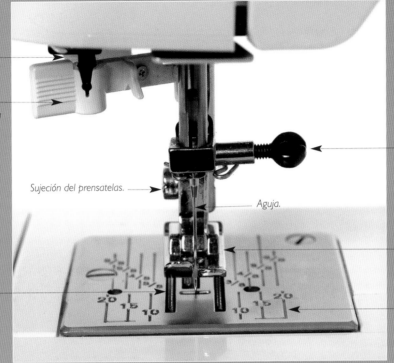

Palanca para ojales.

Enhebrador de la aguja: función optativa muy útil para enhebrar agujas finas.

Sujeción del prensatelas.

Aguja.

Dientes de arrastre: hacen pasar la tela por debajo de la aguja a una velocidad controlada por la presión que se ejerza sobre el pedal.

Sujeción de la aguja: sostiene la aguja en la máquina.

Prensatelas: se baja para apoyarlo sobre la tela. Existen distintos prensatelas para las diferentes labores.

Placa de agujas con medidas marcadas.

Recorrido del gancho y porta-canillas

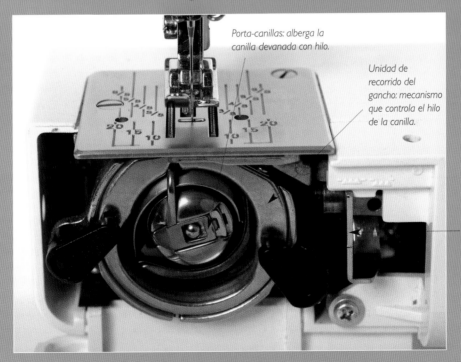

Porta-canillas: alberga la canilla devanada con hilo.

Unidad de recorrido del gancho: mecanismo que controla el hilo de la canilla.

Palanca de bajada de los dientes de arrastre: permite bordar en movimiento libre.

Tensión

Todas las costureras, principiantes o expertas, se preguntan alguna vez si es la tensión de la máquina lo que las mantiene a ellas en tensión. La inadecuada tensión del hilo es quizá el problema de costura más frecuente y puede echar a perder una labor.

Lo primero que hay que saber es qué es en realidad la tensión de la máquina. Por "tensión" se entiende la presión del hilo de coser procedente de la bobina de arriba. Esa presión la controlan los discos de tensión que se encuentran dentro de la máquina y por los que pasa el hilo cuando se enhebra la máquina.

Los distintos tipos de telas y de puntadas requieren una tensión diferente. La tensión se controla con el regulador de tensión en el frente de la máquina (ver página 10). Girando la rueda hacia un número más alto, aumenta la tensión; se reduce seleccionando un número más bajo. En la mayoría de las máquinas, situando la rueda en el número 5 se obtiene una tensión adecuada para una costura recta sobre una tela de grosor intermedio.

Si se ve el hilo de la canilla por el derecho de la tela o el hilo de la bobina por el revés de la tela, la tensión no está bien regulada. Si las costuras quedan fruncidas, si se parte el hilo con frecuencia, se enreda o atasca la máquina, o si se saltan puntadas, la causa puede ser una tensión incorrecta.

Antes de empezar una labor, comprobar siempre la tensión en un resto de tela de la labor. Ponerla en doble para comprobar cómo van a quedar las costuras; si se va a utilizar un forro o una entretela, añadir un trocito a la muestra; comprobar haciendo el punto previsto para la labor. Ensayar todos los aspectos de la labor en miniatura y ajustar la tensión correcta —vale la pena dedicarle tiempo y esfuerzo—. Si se salta este paso, los problemas de tensión pueden estropear la labor.

Tensión equilibrada

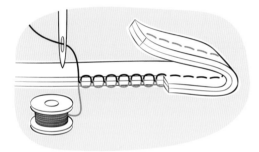

Si la tensión está debidamente ajustada, los hilos de la bobina y de la canilla se entrelazan por dentro de la tela, como arriba. Solamente se ve por el derecho el hilo de la bobina, y por el revés, el de la canilla.

Tensión superior insuficiente

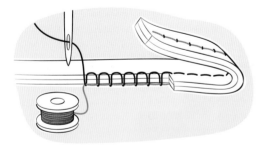

Si se ve por el revés el hilo de la bobina es porque la tensión es insuficiente. Probar a hacer una costura con una bobina de color contrastado. Los puntos de ese color por el revés indican que hay que aumentar la tensión superior. Girar la rueda subiendo medio número y hacer otra costura de prueba como antes.

Tensión superior excesiva

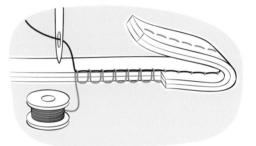

Si asoma por el derecho el hilo de la canilla, entonces la tensión superior es demasiado fuerte. Si no se está seguro de que sea ése el problema, se pone un hilo de color contrastado en la canilla y se hace una línea de costura en un trozo de tela del proyecto. Si se ven puntos del color contrastado, entonces la tensión superior es excesiva. Se gira la rueda reguladora de tensión medio número más abajo y se hace otra costura. Seguir reduciendo la tensión de medio en medio número hasta que esté equilibrada.

Prueba de tensión

Hacer una costura en diagonal sobre un cuadrado de tela, de modo que la costura quede al bies (ver Hacer una tira al bies para ribetear, páginas 74-75). Agarrar firmemente los extremos de la costura y tirar con fuerza estirando la tela. Si solamente se rompe el hilo de arriba, la tensión superior es excesiva. Si se rompe sólo el hilo de abajo, la tensión es insuficiente. Si se rompen ambos hilos, la tensión está equilibrada.

Más datos sobre tensión

Si se ha ajustado el regulador de tensión pero siguen existiendo problemas, comprobar los siguientes pasos que pueden afectar a la tensión.

¿Está bien enhebrada la máquina, arriba y abajo? Sacar el hilo de arriba y volver a enhebrarlo. Si la máquina es nueva, consultar el manual comprobando que no nos hemos saltado ningún paso. Sacar la canilla y colocarla de nuevo, comprobando una vez más que se hace bien.

¿Cuánto tiempo lleva utilizándose la misma aguja? Si se ha cosido con ella durante un tiempo, es posible que haya perdido punta o que esté doblada. El mero hecho de estirar la tela puede doblar la aguja y el menor defecto puede causar problemas. Cambiar la aguja, comprobando que se utiliza la más indicada para la tela (ver páginas 22-23). Recordar que se debe cambiar la aguja de vez en cuando; un buen consejo es "labor nueva, aguja nueva".

¿Está limpia la máquina? Al coser, la máquina acumula pelusilla de las telas. Si no se limpia con regularidad, el recorrido del gancho y el compartimento de la canilla (ver página 11) pueden atascarse con esas pelusas, dificultando la costura. Para limpiarlos, utilizar el pincel que seguramente incluye la máquina.

¿Qué clase de hilo se utiliza? Si se cose con un hilo barato, comprado en un mercadillo, cambiarlo por otro de marca, de buena calidad (ver Hilos, página 23).

¿Se está utilizando una canilla de plástico? Si es así, ¿está algo usada? Pequeñas mellas en el borde de la canilla pueden enganchar el hilo. Cambiar la canilla por otra nueva y comprobar si se soluciona el problema.

La otra tensión

La caja de la canilla también dispone de ajuste de tensión, pero solamente se debe rectificar si realmente no se ha solucionado el problema ajustando la tensión superior y se ha comprobado que la causa no es ni el hilo, ni la aguja, ni las pelusas.

Normalmente sólo hay que ajustar la tensión de la canilla si se utiliza un hilo grueso o decorativo en ella. Las bordadoras a máquina, que suelen utilizar hilos de fantasía en la canilla, pueden tener dos cajas de canilla: una que no se ajusta nunca y que se utiliza para costuras normales y otra para hilos de fantasía, con los que se juega a voluntad.

Para alterar la tensión de la canilla, se utiliza un destornillador especial (que debe venir con la máquina) para girar el tornillito del compartimento de la canilla. Se gira hacia la izquierda para reducir la tensión y hacia la derecha para aumentarla. Mientras se hace, mantener la caja de la canilla encima de una caja vacía, porque si se cae el tornillito será muy difícil encontrarlo.

Anotar la dirección en que se giró el tornillo y cuánto se giró para poder volverlo a poner en la posición en que venía de fábrica cuando se necesite.

Compra de la primera máquina de coser

Lo primero a la hora de comprar una máquina es determinar qué funciones se van a necesitar. Las máquinas de coser modernas van desde los modelos básicos, que hacen poco más que costuras en línea recta, hasta máquinas electrónicas con tantas funciones que llegan a marear. Seguramente lo mejor es un modelo intermedio.

Para una primera máquina de coser se necesita un modelo sencillo que se pueda utilizar con facilidad y al mismo tiempo tan sofisticado que permita desarrollar las técnicas. No es conveniente gastar mucho dinero en la primera máquina, por si se decide que la costura no es lo nuestro, pero hay que tener en cuenta que una máquina muy barata puede no coser bien.

Recomiendo elegir una máquina intermedia de una marca buena. De este modo se tiene una máquina decente y se podrán comprar luego accesorios extra: las grandes marcas disponen de una amplia gama de ellos. La mayoría de los fabricantes son razonables y los accesorios de una máquina sirven para otros modelos. Por eso, para

ampliar las prestaciones de la máquina, conviene comprar accesorios de esa marca, sin necesidad de adquirir todo de nuevo.

Las máquinas de coser de este tipo cuentan con puntos básicos, rectos y en zigzag y algunos extras, que son todo cuanto se necesita. Una función que aconsejo es la de ojales automáticos en un paso. Es perfectamente posible hacer manualmente los ojales a máquina, pero si se hacen automáticamente es más sencillo, más rápido y hasta quedan más bonitos (ver páginas 58-59).

Otra función útil es la de posición variable de la aguja: facilita las costuras rectas en lugares complicados porque se puede alinear la tela con una guía de la placa o con el borde del prensatelas y desplazar la aguja para situar la costura donde corresponda.

Si es posible, conviene disponer de la máquina unos días. Comprobar las funciones y ver cuál es la más útil. Con suerte, la tienda de máquinas no se limitará a una sola marca y entonces conviene pedir consejo al personal. Si no, se puede mirar por internet o en revistas.

Accesorios de la máquina de coser

La máquina de coser incluye varios accesorios y, para empezar, no es necesario adquirir otros. Cuando se avance en la costura y se dominen nuevas técnicas, algunos accesorios pueden resultar útiles, aunque se deben comprar a medida que se necesiten. Dependiendo de la marca de la máquina, los prensatelas pueden no ser idénticos a los de estas fotografías, pero harán las mismas funciones.

Prensatelas recto
Este prensatelas es para costuras sencillas, en línea recta (ver Costuras en línea recta, página 30), y es el que más se utiliza.

Prensatelas para zigzag
Es el prensatelas que se usa para punto en zigzag y para algunos puntos decorativos (ver Puntos, página 23).

Prensatelas para cremalleras
Varían mucho de estilo, pero todos están fabricados para coser lo más cerca posible de los dientes de las cremalleras (ver en las páginas 52-57 diferentes tipos de cremallera).

Prensatelas para patchwork
La pata derecha de este prensatelas mide 6 mm de ancho y sirve de guía para costuras con un margen estrecho. No hago mucho patchwork (ver Patchwork, página 94), pero utilizo con frecuencia este prensatelas.

Prensatelas transparente
Este modelo es muy útil para aplicar porque se ve fácilmente lo que se está cosiendo (ver Aplicaciones, página 93). Éste lleva un entrante por debajo que le permite pasar suavemente por encima de una costura a punto de satén.

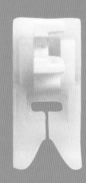

Prensatelas de teflón
Es un prensatelas extra-suave que se desliza sobre telas "que se pegan", como el vinilo.

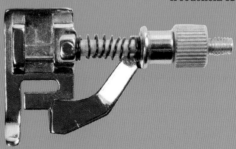

Prensatelas para jaretón a punto escondido
La pata de la derecha ajustable permite coser el jaretón a la profundidad que se desee (ver Jaretón a punto escondido, página 44).

Prensatelas para bordado en movimiento libre

Es otro prensatelas de estilo muy variable. Las versiones de patas abiertas, como ésta, permiten ver fácilmente lo que se está cosiendo (ver Bordado en movimiento libre, página 92).

Prensatelas andador

Es un prensatelas que permite pasar capas de tela uniformemente al acolchar a máquina (ver Acolchar, página 95). Suelen ser caros y no siempre imprescindibles para labores de acolchado sencillas.

Prensatelas para ojales automáticos

Se coloca el botón en el espacio correspondiente y el ojal se hace automáticamente al tamaño adecuado al botón (ver Ojales automáticos, página 58).

Agujas para coser a máquina

Elegir la aguja adecuada a la tela que se utiliza es fundamental para coser bien. Aquí se pueden ver, de izquierda a derecha: agujas de 8/60, 12/80, 18/110, aguja doble, aguja de bordar de 11/75, aguja para hilos metalizados de 12/80, aguja para cuero de 14/90, aguja de bola de 12/80.

Ver consejos sobre utilización de agujas para distintas Telas, hilos y puntos, páginas 22-23.

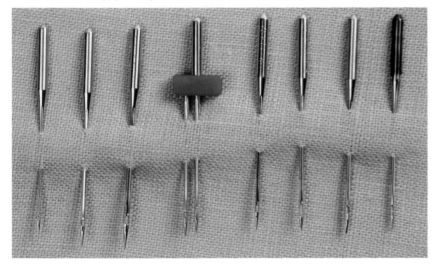

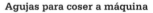

Guía para acolchar

Se ajusta esta guía en el prensatelas para coser a intervalos regulares (ver Acolchar, página 95).

Guía magnética

Se adapta a la placa de agujas para coser en línea recta (ver Costuras en línea recta, página 30).

Herramientas y equipo de costura

Además de las herramientas básicas —como las tijeras— existen otras muchas que se pueden adquirir como accesorios de costura. Éstas son algunas que he comprado y utilizo, contrariamente a otras que siguen esperando en su embalaje original.

Poseo cinco pares distintos de tijeras en mi costurero, de las cuales se necesitan tres: tijeras de cortar telas, tijeras de bordar y tijeras para papel. Además tengo tijeras para dar piquetes y cortahílos. No compro tijeras caras, pero las cuido mucho y nunca utilizo las de cortar tela para cortar papel —las cuchillas perderían filo—.

Tijeras para tela

Existen varios modelos, pero las que más me gustan tienen una cuchilla en ángulo como éstas para cortar las telas con facilidad.

Tijeras de bordar

Buscar unas de punta fina y de cuchillas cortas y estrechas.

Cortahílos

Me parecen muy útiles para cortar rápida y fácilmente las puntas de los hilos cuando se cose a máquina.

Descosedor

Está pensado para cortar el hilo de costuras fuertes. Se introduce la pata larga por debajo de las puntadas y se tira con cuidado para cortar el hilo.

Dedal

Con él se empuja la aguja de coser a mano por una tela gruesa. Prefiero los dedales de goma a los de metal.

Alfileres

Yo utilizo alfileres largos y finos con cabeza de vidrio para poder planchar por encima de ellas sin que se fundan. Si son largos y finos no dejan marca en la tela y apenas si la fruncen. Siempre utilizo alfileteros magnéticos (éste es en realidad para clips de papelería). Aunque imantan un poco los alfileres, son muy útiles.

Aguja para coser a mano

A veces se necesita una de estas agujas para rematar alguna labor. Cuanto más alto es su número, más fina es la aguja.

Cualquiera que sea el sistema de medición —métrico o imperial—, atenerse a él y no cambiar de uno a otro o terminaremos haciendo labores mal ajustadas. En este libro se utiliza solamente el sistema métrico decimal para todas las técnicas y proyectos.

Calibre de costura
Lo utilizo constantemente para medir distancias cortas, como en jaretones y costuras. Deslizar el pasador rojo hasta la distancia deseada para medir y comprobar con facilidad.

Cinta métrica
Es indispensable; conviene llevarla alrededor del cuello para sentirse como una costurera de verdad.

Reglas larga y corta
Son útiles pero no imprescindibles, aunque siempre tengo las mías en el costurero.

Existen varios tipos de marcadores para tela. Los dos que yo utilizo son un rotulador no permanente y el jaboncillo de sastre. Los rotuladores no permanentes son buenos, pero con frecuencia desaparece la marca antes de terminar la labor. Sea cual sea el marcador que se utilice, hay que probarlo siempre antes en un trocito de tela para comprobar que se elimina totalmente.

Rotulador para tela lavable
Tener en cuenta que el agua puede dejar mancha en la tela, por eso al probar el rotulador en la tela, mojarla y secarla con la plancha para comprobar que no quedan marcas.

Jaboncillo de sastre
Es el marcador clásico, la tiza se cepilla y desaparece de la mayoría de las telas.

Accesorio para doblar un bies
Es pequeño pero muy útil para doblar una tira al bies y ribetear con ella.

Aro para canillas
Es un buen accesorio para guardar las canillas y que no acaben desordenadas y enmarañadas en el costurero.

Preparándose para coser

Éstos son algunos conocimientos básicos y prácticas generales que sirven para todas y cada una de las técnicas explicadas en este libro. Repasar bien este capítulo antes de emprender cualquier labor; vale la pena.

Un espacio para coser

La gran mayoría de quienes cosen en casa no se pueden permitir el lujo de disponer de un cuarto de costura y por eso deben robar espacio a la habitación de invitados o a un rincón del salón. Pero un espacio reducido puede ser perfectamente válido si está bien organizado.

Se necesita una mesa sólida, una silla cómoda, de respaldo recto, y una tabla de planchar con la plancha a mano. Si hay que ir a planchar a otra habitación, da pereza levantarse para ir a hacerlo cuando se debe y la labor lo acusa luego (ver Planchado, páginas 26-27). Lo ideal sería que la mesa fuera lo bastante grande para cortar la tela sobre ella sin quitar la máquina de coser. Si no es posible, se puede cortar en el suelo —limpiándolo bien antes—.

Las que cosen, lo mismo que las que tejen, enseguida almacenan una serie de restos. Las telas maravillosas, los galones preciosos, los hilos de colores y los botones originales son todos irresistibles y llegan a ocupar una gran cantidad de espacio. Si no se organizan bien, nunca se podrá encontrar la pieza perfecta cuando se necesita. Se comprará otra y el montón de retales seguirá creciendo y creciendo, lleno de piezas muy parecidas.

Me gusta utilizar contenedores que permitan ver lo que hay dentro: guardo los retales doblados en cajas apilables de plástico transparente, y los botones por colores en tubos de plástico. Las piezas grandes de tela las doblo en un armario, clasificadas por tipos de fibras. Las cintas y galones enrollados los sujeto con pinzas para ropa pequeñitas (antes se vendían en papelerías, aunque no sé para qué pueden servir en ese contexto).

Una buena forma de guardar las bobinas de hilo es en un estante hecho por uno mismo (ver abajo a la izquierda): el mío está montado por fuera de una puerta de armario porque me parece que las bobinas son muy decorativas. Para hacer el estante, se clavan unos clavos en unos listones de madera que luego se atornillan a la puerta. Las bobinas se sujetan en los clavos, ordenadas por colores para lograr un buen efecto. Si se prefiere comprar el estante en lugar de montarlo, existen listones preparados con espigas de madera.

Es fundamental tener un costurero o caja de herramientas grande —pero fácil de transportar— para guardar todos los accesorios de la máquina y demás útiles de costura. Yo utilizo una caja de herramientas de ferretería, con bandejas que se despliegan y mucho espacio, pero existen muchos tipos de cajas fabricadas para costureros.

No importa cómo se organicen y se guarden los retales y el equipo, siempre que se sepa dónde está cada cosa y se encuentre con facilidad. Guardar cosas mal ordenadas es tan malo como no guardarlas.

Archivadores de oficina

Los archivadores con ruedas para despacho son una solución excelente. Suelen disponer de un cajón grande abajo para colgar carpetas y en el que se pueden guardar las telas. Los cajones más pequeños sirven para retales, hilos y accesorios, y el cajón de arriba, más plano, con divisiones para lápices y clips, sirve para guardar prensatelas, alfileres y demás piezas pequeñas. Como llevan ruedas, se pueden dejar en un rincón y sacarlos cuando se necesite.

Cómo se cose a máquina

Cuando ya se tiene la máquina de coser en casa, lo primero que se debe hacer es leer el manual. Aunque se haya utilizado antes una máquina de coser, las distintas marcas y modelos difieren en detalles del funcionamiento, y si no se leen las instrucciones se puede estropear la máquina antes de terminar la primera labor.

Colocar la máquina encima de una mesa resistente. No convienen mesas plegables o mesas abatibles, porque cuando la máquina esté funcionando a toda velocidad, se tambalearían de manera alarmante si no son sólidas y podrían echar a perder la costura. La silla debe ser de respaldo recto, sin brazos —como una silla de comedor, pero no una silla de despacho con ruedas porque es fácil que se mueva—. Comprobar también que la máquina queda a buena altura, para poderla manejar con comodidad. ¿Se llega bien al pedal sin estirar la pierna? ¿Queda el cable fuera del paso sin estar tirante, de forma que si se tropieza con él no tire la máquina al suelo? ¿Queda la máquina a una altura que permite ver cómo pasa la tela por debajo de la aguja sin tener que doblar el cuello, pero lo bastante baja para no tener que subir los brazos en una postura incómoda? ¿Todo bien? ¡Excelente!

Una vez leído el manual, bien colocada la máquina, se elige un punto recto mediano y un trozo de tela en el que practicar y ya se puede empezar a coser. Lo primero es hacer una costura recta y comprobar la tensión de la puntada para rectificarla en su caso (ver Tensión, página 12).

Luego hay que colocar las manos correctamente. Las principiantes suelen sujetar la tela como en la fotografía de arriba a la derecha, agarrando la tela por delante y estirándola por detrás. Así no se cose. Los dientes de arrastre (ver página 11), desplazan la tela por debajo de la máquina a una velocidad controlada por la presión que se ejerza con el pie sobre el pedal; no hay que ayudarles a hacer su trabajo.

Tirando así de la tela se termina por doblar la aguja. Las agujas son de metal muy fino y se doblan con facilidad, provocando problemas de tensión (ver Tensión, página 12).

Lo que hay que hacer es guiar la tela para que pase bajo la aguja por donde deba ir la costura. Para ello se colocan las dos manos abiertas, apoyándolas ligeramente sobre la tela y cerca del prensatelas, como en la fotografía de abajo a la derecha. Naturalmente, hay que evitar pincharse los dedos, pero se evita razonablemente bien. No apartar nunca la vista de la aguja cuando esté en movimiento. Si algo nos distrae, se detiene la costura y se levanta la vista. No coser delante de la televisión si se tienen tentaciones de mirar la pantalla.

Situar la tela debajo del prensatelas con el borde contra una de las marcas de la placa de agujas (ver Costuras en línea recta, página 30). Instalarse cómodamente en la silla y colocar las manos sobre la tela.

Con suavidad, presionar el pedal. Al pasar la tela por debajo de la aguja y avanzar, desplazar las manos de modo que queden en la misma posición respecto de la aguja y guiar suavemente la tela para que el borde siga contra la marca de la placa.

Cuando se esté acostumbrado al modo en que la tela avanza bajo la aguja, se presiona el pedal con un poco más de fuerza. Coser el trozo de tela hacia delante y hacia atrás, variando la velocidad y los tipos de punto hasta que resulte fácil coser. Es posible que lleve más de una sesión, pero vale la pena practicar con telas baratas hasta habituarse a la máquina antes de empezar una labor.

Modo incorrecto de sujetar la tela al coser.

Modo correcto de guiar la tela al coser.

Telas, hilos y puntos

La variedad de telas de que dispone hoy una costurera es enorme, tanto que no podemos verlas todas aquí en detalle. En estas páginas repasamos algunas de las telas más populares y ofrecemos unos consejos sobre hilos y puntos.

Telas

Dos son las razones principales por las que se elige una tela para una labor: una es de orden práctico —lo adecuada que sea la tela— y otra de orden estético —lo bonita que resulte la tela—. Hay que procurar no elegir una tela sólo por la segunda razón, pues la labor no quedaría bien por mucho cuidado que se ponga en ella.

A la izquierda, de arriba abajo, las telas son:
Encaje: las modernas telas de encaje son de fibras artificiales, aunque se pueden adquirir blondas magníficas, y caras, de seda y de algodón. El encaje se utiliza sobre todo para trajes de novia y de fiesta, con otra tela por debajo. No es especialmente difícil de coser, aunque el encaje antiguo y muy delicado resulta frágil. Utilizar una aguja fina de 60/8 a 75/11.

Tela de forro: normalmente de fibras sintéticas, las telas para forro existen en muchos colores lisos o de dibujo bonito. A mí me gustan los forros de fantasía; aunque nadie lo vaya a ver, sé que está ahí y la prenda de vestir resulta aún más especial. Los forros se deslizan con facilidad y pueden ser difíciles de coser, por lo que aconsejo hilvanarlos (ver Hilvanar, página 25). Para un toque de lujo, se elige una tela de forro de seda, que resulta muy agradable sobre la piel. El forro sintético se cose con una aguja de 75/11 ó 80/12, y el de seda con una de 75/11 o más fina.

Tweed: éste es un tweed tradicional irlandés, grueso y de mucho cuerpo, ideal para una prenda de abrigo para invierno.

Seda: éste es un dupión de seda, que es probablemente el tejido de seda más fácil de coser y el menos resbaladizo, pero se deshila con muchísima facilidad, conserva las marcas y, si no se tiene cuidado, cuelga por donde no debe. Dicho esto, la seda es tan preciosa a la vista y tan agradable al tacto, que es difícil resistirse a ella para un vestido especial. Hay que hilvanar las costuras (ver Hilvanar, página 25), rematar todos los cantos (ver Rematar bordes, página 32) y tener cuidado con las manchas de agua al planchar (ver Planchado, páginas 26-27). La seda se cose con agujas de 75/11 o más finas.

Antelina: es un ante de imitación, de fibras artificiales, que se fabrica en colores limitados. No es la tela más fácil de coser porque, al igual que el terciopelo, cuando se colocan dos capas derecho con derecho, tienden a "reptar" una sobre otra y la costura puede quedar irregular. Para evitarlo y controlar la tela, hay que pasar un hilván menudo y fuerte (ver Hilvanar, página 25). La antelina fina se puede coser con una aguja de 80/12 ó 90/14. Para antelinas más gruesas (y ante auténtico), utilizar agujas para cuero de 90/14 ó 100/16.

Lana: la lana es un tejido maravilloso, versátil, en distintos gruesos, colores y dibujos, y fácil de coser. Hay que tener cuidado al plancharlo (ver Planchado, páginas 26-27) porque el calor excesivo y el vapor pueden afieltrar su superficie. Coser la lana fina con aguja de 80/12, llegando hasta la de 100/16 para el tejido más grueso.

Algodón estampado: es la tela más popular para coser en todo el mundo. Se puede adquirir casi de cualquier color y dibujo y tiene muchos nombres distintos. Comprobar el contenido de fibra de las telas "de algodón" porque pueden incluir mezclas, lo que conviene o no. Recordar que si tiene dibujos grandes habrá que comprar más tela para casar las costuras y luego habrá que hilvanarlas (ver Hilvanar, página 25). Suele ser fácil de coser. Elegir una aguja de 75/11 para el algodón más ligero —como el chambray—, subiendo hasta el 110/18 para el más tupido y grueso. El algodón intermedio para vestidos se puede coser con aguja de 80/12.

Raso o satén: el raso suele ser de fibras artificiales, es muy bonito a la vista y espantoso de coser. Se escurre, se mueve, se marca a la menor oportunidad y a veces no se plancha bien. Si realmente se decide utilizar raso, hay que hilvanarlo (ver Hilvanar, página 25) por dentro del margen de costura y coserlo con aguja de 75/11.

Terciopelo: este terciopelo tiene un acabado chafado, lo que hace de él un tejido algo más sufrido que el de pelo levantado. Sin embargo es sólo para costureras expertas: es seguramente la tela más difícil de coser bien. Hay que hilvanar todas las costuras siguiendo la técnica de puntada corta/puntada larga (ver Hilvanar, página 25). Lo mejor es coserlo con prensatelas andador (ver Accesorios de la máquina de coser, página 14) y plancharlo sobre una plancha de agujas especial con papel debajo de los márgenes de costura para que no se marquen por el derecho. El terciopelo se deshila más que nada en el mundo. Si de verdad se quiere trabajar terciopelo, hay que coserlo con mucho cuidado y agujas de 80/12 ó 90/14.

Algodón de color liso: todas las cualidades del algodón estampado sin problemas de casar dibujos. ¡Perfecto!

Pana: normalmente de algodón —a veces con mezcla de fibras sintéticas—, la pana es resistente y bastante fácil de coser. Para coserlo, utilizar aguja de 90/14.

Hilos

La regla de oro de los hilos es no comprarlos baratos. Si son de baja calidad se rompen, se abren y no suele haber mucho hilo en la bobina, por lo que se gasta enseguida.

Para evitar posibles complicaciones al lavar, coser la tela con un hilo de la misma fibra, siempre que sea posible. Así pues, usar hilo de algodón para algodón, hilo de seda para seda e hilo de poliéster para telas artificiales y de lana, porque no existe hilo de lana.

Los hilos de rayón y metalizados se suelen utilizar para bordar a máquina (ver Bordado en movimiento libre, página 92) y se deben usar con agujas para bordado o hilos metalizados, de punta muy afilada y con ojo alargado para atravesar limpia y fácilmente la tela.

Puntos

Las máquinas manuales básicas apenas ofrecen diez clases de puntos básicos, mientras que las electrónicas pueden realizar decenas de puntos de fantasía, por lo que no podemos pasar revista a todos aquí. Sin embargo, lo más habitual será utilizar unos cuantos puntos que sí podemos repasar.

Abajo, de izquierda a derecha, los puntos son:
Punto recto o bastilla: aquí vemos tres largos de puntada distintos. Una puntada muy corta, una intermedia —la que más se va a utilizar— y una larga que se usa para fruncir e hilvanar a máquina.

Punto recto elástico: es una versión más elástica del punto recto y se utilizará para coser tejidos abiertos y de punto.

Punto de zigzag: se usa para rematar cantos (ver Rematar bordes, página 32) y puede regularse en distintos anchos y más o menos tupido.

Punto de satén: es un zigzag ancho, muy tupido, que se utiliza para bordear motivos aplicados (ver Aplicaciones, página 93).

Punto de tricot: es la versión de zigzag que se utiliza para rematar los cantos de telas que ceden (ver Rematar bordes, página 32).

Sobrehilado: es otro punto que se utiliza para rematar cantos (ver Rematar bordes, página 32).

Punto de caja: se utiliza para unir piezas de guata para acolchar (ver Acolchar, página 95). Solapar los bordes de la guata 1 cm y hacer una costura a punto de caja sobre el solape para que la unión quede aplastada y lisa.

Puntos de bordado: los dos últimos puntos son de bordado automático. Ofrecen un modo rápido y fácil de añadir detalles a una labor.

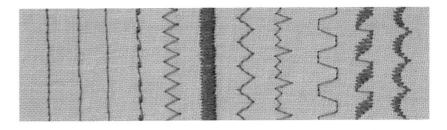

Prender

Poner alfileres en unas piezas de tela para unirlas no parece requerir ninguna instrucción, pero hay un par de trucos que facilitan el cosido a máquina y evitan pincharse los dedos más de lo absolutamente necesario.

  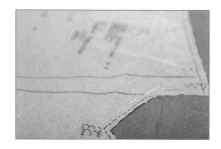

Prender para coser a máquina

Prender así para que no surja el problema de que la cabeza del alfiler quede mirando hacia la aguja, impidiendo quitarlo con facilidad.

Casar los bordes de las telas que se vayan a coser y situar los cantos mirando hacia fuera. Si es un jaretón, doblar el canto hacia arriba y situar el doblez hacia fuera. Empezando en el lugar donde se va a comenzar a coser, prender los alfileres con la cabeza hacia la derecha. Al coser la costura, las cabezas quedan hacia dentro, listas para ser retiradas antes de llegar a la aguja.

Prender para hilvanar

Si se prende antes de hilvanar, evitaremos pincharnos al coser.

Casar los bordes de las telas, situando el canto hacia fuera. Si es un jaretón, doblar el borde hacia arriba y poner el doblez hacia dentro. Empezando por el extremo de la costura más próximo, donde se va a empezar a hilvanar, prender los alfileres con las cabezas hacia la derecha. Al hilvanar hacia los alfileres será la cabeza y no la punta la que mire hacia el que cose.

Prender las piezas del patrón

Hay que tener cuidado al prender un patrón de papel a una tela y comprobar que la pieza de tela que se corta tiene exactamente la misma forma que la pieza del patrón de papel.

Lo primero es comprobar que la tela está extendida y lisa. Si tiene alguna arruga o pliegue, eliminarlos con la plancha (ver Planchado, páginas 26-27). Colocar la pieza del patrón sobre la tela y alisarla con las manos; si está muy arrugada, se plancha con la plancha templada y seca. Poner muchos alfileres, comprobando que todas las puntas y entrantes quedan sujetos a la tela. Los alfileres no deben sobresalir de la pieza de papel para no mellar las cuchillas de las tijeras al cortar la tela alrededor del papel.

Coser por encima de los alfileres

Mi abuela, que me enseñó a coser, nunca lo hizo así, ni yo tampoco, pero otras costureras lo hacen. Incluyo aquí esta técnica, pero si se va a utilizar, hay que trabajar con cuidado.

Casar los bordes de las telas que se vayan a unir y prender los alfileres perpendiculares al canto, dejando que sobresalgan las cabezas. Hacer la costura bastante despacio, cosiendo por encima de los vástagos de los alfileres. Quitar los alfileres cuando esté terminada la costura.

La razón de que yo no cosa por encima de los alfileres es porque con frecuencia la aguja choca con un alfiler y, como poco, quedan puntadas irregulares, y, como mucho, se parte la aguja. Los alfileres pueden arrugar la tela si no están bien prendidos y la arruga queda integrada en la costura. Por último, si hay que sujetar las telas unidas al coserlas, no se tarda mucho en hilvanarlas.

Cortar

Cortar correctamente es fundamental para coser bien. Se trata de cortar la tela manteniéndola lo más plana posible sobre la superficie de trabajo; si se levanta la tela al cortar, los bordes no quedan impecables.

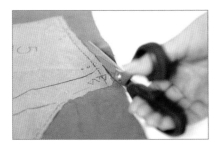

Las tijeras para tela con las cuchillas en ángulo permiten cortar junto a la mesa de trabajo y en paralelo a ella, levantando apenas la tela, sin necesidad de retorcer la mano en una posición forzada.

Abrir las cuchillas lo más cómodamente posible para manejarlas y deslizar la cuchilla inferior por debajo de la tela en donde se vaya a empezar el corte. Cerrar las cuchillas despacio para cortar la tela, sin llegar a cerrarlas del todo. Antes de que se junten las puntas de las cuchillas, volver a abrir las tijeras y deslizarlas bajo la tela siguiendo la línea de corte. Cortando así (sin cerrar del todo las cuchillas) se evitan ondas e irregularidades en el canto cortado.

Hilvanar

En nuestro mundo acelerado, se rechaza todo lo que lleva algo más de tiempo, sea útil o no, y un hilván puede ser muy útil. No digo que haya que hilvanar siempre, pero para telas que se escurren, para costuras con forma, para poner galones y cremalleras, no basta con prender a trechos.

Costuras y jaretones

Las costuras y jaretones de telas que no sean difíciles de coser (ver Telas, página 22), solamente es necesario hilvanarlos si la costura tiene forma o el jaretón está en curva. Prender la tela siguiendo la línea del hilván (ver Prender para hilvanar, página anterior). Enhebrar una aguja fina con hilo del largo de la línea a hilvanar más 15 cm. Si resulta ridículamente largo e imposible de utilizar, entonces se hilvana en dos veces.

Hacer un hilván de puntadas rectas de 1 cm de largo aproximadamente, siguiendo la línea de hilvanado. No es necesario medir y marcar esa línea, porque no importa que quede un poco irregular. Las puntadas tampoco tienen por qué ser perfectas e iguales, aunque sí quedarán fuertes y no demasiado largas para cumplir su función.

Las telas escurridizas o con pelo —como el terciopelo— deben hilvanarse siempre y mejor con la técnica de puntadas largas y cortas. Consiste en dar puntadas fuertes de un largo variable entre 5 mm y 1 cm; la irregularidad del largo impide que se muevan las capas de tela.

Pasar la aguja varias veces por entre las telas antes de tirar de la hebra, como se ve aquí; es un modo rápido y perfectamente válido de hilvanar una costura o un jaretón. Sin embargo, para poner una cremallera o hilvanar una esquina, es preferible dar las puntadas de una en una.

Dónde se hilvana

Uno de los errores que cometen las costureras principiantes es hilvanar sobre la línea de la costura a máquina. Luego tienen que perder tiempo quitando el hilván sin estropear la costura a máquina.

Por eso es mejor hilvanar a cierta distancia de donde se vaya a coser a máquina. Una costura normal, con un margen de 1,5 cm, se hilvana a 1 cm del canto de la tela. Si se cose a máquina un jaretón y el borde del prensatelas va a quedar encima del doblez, se hilvana junto al doblez.

Planchado

Cuando se confecciona una labor hay que estar continuamente utilizando la plancha, casi tanto como la máquina de coser. Un buen planchado marca una diferencia notable en la costura, tanto a nivel práctico como estético.

Planchar presionando

Existe una gran diferencia entre planchar presionando y pasando la plancha. En este último caso, la plancha se desliza sobre la tela y es lo que se hace para estirar la ropa después de lavarla. Planchar presionando supone aplicar la plancha en un punto, levantarla y aplicarla en otro, sin recorrer la tela.

Si es posible, colocar la plancha y la tabla de planchar en la habitación en la que se cose (ver Un espacio para coser, página 20). Hay que planchar continuamente la labor cada vez que se cose una sección, y si se tiene a mano la plancha, sin tener que salir de la habitación, es más probable que se haga así.

Comprobar a qué temperatura se puede planchar la tela. En general, el algodón y el lino se pueden planchar con la plancha caliente, la lana con la plancha templada y los tejidos sintéticos con la plancha tibia. Como no es una norma fija y si se pone vapor varía, es preciso probar en un trozo de tela si la temperatura es adecuada.

Antes de utilizar vapor sobre una tela, comprobar que desaparecen las posibles manchas de agua en la tela. Salpicar de agua un trozo de tela y plancharlo en seco para ver si quedan manchas. El vapor tiene dos funciones: ayuda a eliminar arrugas y pliegues persistentes y "fija" la forma de la tela. La firmeza de esa "fijación" dependerá de la tela y se perderá al lavar la prenda, que habrá que volver a planchar. La mayoría de las planchas disponen de la función vapor a distintas temperaturas. También se puede rociar la tela con agua utilizando un frasco rociador y planchando luego para que se forme vapor, o bien se utiliza un paño de plancha húmedo.

Mi paño de plancha preferido.   *Paño de plancha de organdí.*

Planchado de las costuras

"Planchar una costura abierta" es una instrucción frecuente en los libros de costura y consiste en colocar la tela lisa, separando los márgenes de costura (ver Costuras en línea recta, página 30) y planchándolos así por el revés de la tela.

1.

2.

1 El primer paso para coser una costura abierta es plancharla para aplastarla. Sin abrir la tela, planchar sobre la línea de costura que se acaba de hacer para hundir las puntadas en la tela.

2 Abrir luego la tela y colocarla lisa, con el derecho hacia abajo. Abrir los márgenes de costura y plancharlos para aplastarlos. Volver la tela y comprobar si se han marcado los bordes de los márgenes de costura. Si ha quedado marca, se ponen unas tiras de papel debajo de los márgenes y se vuelve a planchar.

Medio queso de sastre

Se trata de una almohadilla muy firme sobre la que se coloca una costura en curva (ver Curvas hacia dentro y hacia fuera, páginas 68-69) para poderla planchar sin aplastarla. Es una pieza importante del equipo. Se puede comprar un rodillo ya hecho, pero es fácil de hacer.

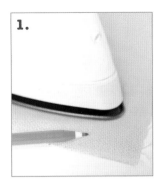

1 Colocar la plancha sobre una tela de algodón de modista y dibujar el contorno. Curvar ligeramente los laterales y redondear las esquinas para hacer la forma clásica de medio queso, y añadir 5 cm todo alrededor.

2 Recortar la plantilla y utilizarla para cortar esa misma forma una vez de tela de lana y dos veces de algodón grueso. Colocar una forma de algodón grueso con el algodón de modista encima, hacia arriba, luego la forma de lana con el revés hacia arriba y por último la otra forma de algodón grueso. Prender las capas uniéndolas.

3 Seleccionar un punto recto mediano en la máquina de coser. Dejando un margen de costura de 1 cm, hacer una costura por el borde, dejando una abertura de 10 cm.

4 Volver del derecho el medio queso por la abertura. Rellenarlo con serrín (el mejor es del tipo que se vende para jaulas de hámster), metiéndolo por la abertura con una cucharilla. Hay que rellenarlo bien y para ello se aprieta el serrín con la cucharilla.

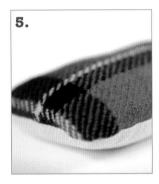

5 Coser a mano la abertura para cerrarla con un repulgo, terminando así el medio queso. Si al cabo de unas semanas se ha compactado el serrín y el rodillo queda blando, se descose la abertura y se añade más serrín, apretándolo.

6 Poner la costura en curva encima del medio queso y plancharla abierta. Como el medio queso tiene un lado de lana y otro de algodón, se puede utilizar al máximo de temperatura por el lado del algodón cuando haga falta.

Planchado de mangas

Se puede hacer o comprar un rodillo para mangas, que es una versión en forma de rollo del medio queso de sastre, pero yo prefiero utilizar una toalla enrollada porque así la ajusto al largo y al ancho de la manga.

Enrollar la toalla para poderla pasar por dentro de la manga y rellenarla sin estirarla. Ahora se puede planchar la costura abierta sin aplastar la manga. Es también útil para planchar mangas sin marcar pliegues.

Costuras sencillas

La primera técnica de costura y la más sencilla consiste en unir dos piezas cosiéndolas. Cuando se haya aprendido a hacerlo, se puede confeccionar algo. Existen distintos tipos de costuras de unión y varias maneras de rematar los márgenes de costura, dependiendo de lo que se confeccione y de la tela que se utilice.

Costuras en línea recta

Casi todas las costuras se hacen en línea recta y es importante aprender a coser derecho. Una costura irregular queda muy fea y puede afectar al modo en como siente la prenda. Muchas principiantes se esfuerzan por coser en línea recta, pero hay varios consejos y trucos que permiten dominar la técnica y, naturalmente, los voy a explicar. La cantidad de tela entre el canto —borde cortado— y la línea de puntadas que forma la costura se llama margen de costura. En modistería, el margen de costura estándar es de 1,5 cm, aunque siempre hay que comprobar en el patrón el margen que requiere.

Consultar:

Herramientas y equipo
de costura, páginas 16-17
Cómo se cose a máquina,
página 21
Puntos, página 23

Líneas rectas

Antes de empezar a coser la tela se practica con papel rayado (de un bloc normal, por ejemplo), cosiendo sobre las líneas. Seleccionar en la máquina un punto recto mediano, coser despacio, presionando suavemente el pedal, y habituarse a guiar el papel con las manos para que la costura coincida con una línea del papel.

Antes de empezar a coser tela, se debe cambiar la aguja de la máquina porque el papel le habrá hecho perder punta.

Marcas en la placa

Para que las costuras queden rectas en la tela, se puede utilizar uno de cuatro métodos fáciles. El primero consiste en seguir las líneas marcadas en la placa de agujas de la máquina de coser, líneas que están marcadas a ciertas distancias de la aguja en su posición habitual de cosido. Estas líneas suelen estar a 1 cm, 1,5 cm y 2 cm de la aguja. Manteniendo el borde de la tela a lo largo de la línea correspondiente, la costura quedará a esa distancia del borde, con un margen de costura del ancho marcado.

Guía magnética

Para facilitar aún más las cosas, se puede adquirir una guía magnética de costura. Es un accesorio manejable que se adapta a la placa a lo largo de la correspondiente línea marcada. La guía queda en relieve y el borde de la tela se apoya en ella mientras se cose la costura.

Cinta de pintor

Si hay que dejar un margen de costura más ancho que las marcas de la placa se pega una cinta de pintor en la máquina que sirva de guía. Medir la distancia extra a partir de la última línea marcada en la placa y pegar la cinta, con cuidado de que quede paralela a la línea marcada.

Línea dibujada

Otra manera de ajustarse a una línea de costura consiste en marcarla en la tela. Utilizar un marcador adecuado y probar antes en un retalito para asegurarse de que se puede eliminar la marca. Es un método útil cuando la costura tiene forma, porque se concentra uno en la costura sin preocuparse de dónde queda el borde.

Empezar y terminar una costura

Hay que afianzar los extremos de todas las líneas de costura para que no se aflojen y se abran las costuras. Hay dos maneras sencillas de lograrlo.

Consultar:

Puntos, página 23

Cómo se cose a máquina,
    página 21

Costuras en línea recta,
    página 30

Punto atrás

En la mayoría de las máquinas de coser modernas existe la función de punto atrás. Suele ser una palanca que se baja o un botón que se pulsa y permite dar unas puntadas hacia atrás para afianzar los extremos de casi todas las costuras.

Situar la tela en la máquina con los cantos contra la marca de margen de costura adecuada, de modo que la aguja empiece a coser a 1 cm del principio de la costura. Se puede comprobar que la tela está correctamente colocada girando la rueda manual para bajar la aguja hasta que toque la tela. Bajar la palanca de punto atrás y hacer despacio unas puntadas hacia atrás. No tratar de coser sobre el borde de la tela porque se podría fruncir.

Soltar la palanca de punto atrás y dar unas puntadas hacia delante para hacer la costura. Al llegar al otro extremo de la costura, antes de llegar al borde de la tela, bajar la palanca y coser hacia atrás 1 cm.

Anudar las puntas

Si la costura queda visible (por ejemplo una costura sobrecargada), las puntadas hacia atrás se notan mucho.
Lo mejor entonces es hacer un nudo fuerte por el revés de la tela.

1 Antes de empezar a coser, tirar de los hilos de la bobina y de la canilla hasta tener unos 10 cm. Hacer ahora la costura. En el otro extremo, cortar los dos hilos a unos 10 cm de la tela. Tirar con cuidado del hilo de la canilla para que quede una presilla de hilo de arriba, de la bobina, sobre la tela. Pasar un alfiler por la presilla y tirar bien del hilo de arriba para que los dos extremos de hilo queden por el revés de la tela.

2 Hacer un nudo simple, pero pasando dos veces el extremo del hilo por la presilla formada por el extremo del otro hilo antes de apretar el nudo. Hacer otro nudo normal. A este nudo se le llama de cirujano y la doble vuelta del principio impide que se afloje el primer nudo mientras se hace el segundo. Cortar las puntas de hilo a 1 cm del nudo.

3 Si el nudo va a sufrir desgaste, se cosen los extremos del hilo. Se enhebran en una aguja de coser a mano, se dan unas cuantas puntadas rasas o se hace un pespunte en el margen de costura, como se ve a la derecha. Al dar las puntadas simples, procurar pasar la aguja por debajo de ellas, sin atravesar el hilo con la aguja.

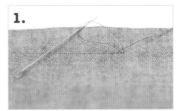

1.

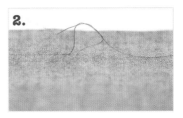

2.

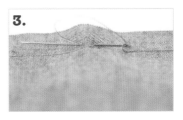

3.

Arriba: costura afianzada por unas puntadas hacia atrás (arriba) y con las hebras cosidas y anudadas (abajo).

Rematar bordes

La mayoría de las telas se deshilan en mayor o menor medida, por eso se deben rematar los cantos cortados de los márgenes de una costura abierta, para evitar que se deshilen y se deshaga la costura. El método para rematarlos depende de la facilidad con que se deshile la tela, de la labor y de si se van a ver los márgenes de costura y de lo expuestos que queden al uso y desgaste.

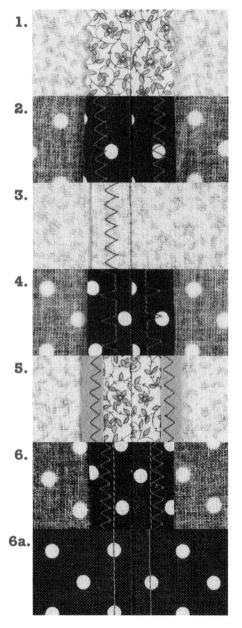

1.
2.
3.
4.
5.
6.
6a.

Consultar:
Puntos, página 23
Cómo se cose a máquina, página 21
Planchado, páginas 26-27
Costuras en línea recta, página 30
Costuras abiertas, página 34
Coser un ribete al bies con zigzag,
   página 78

Utilizar preferentemente para:
Costuras abiertas
Todas las telas que se deshilen

1 En labores como trajes de disfraz o almohadones confeccionados con telas que no se deshilen mucho, se pueden cortar sin más los márgenes de costura con tijeras de piquillo, para no sobrehilar. Es un método perfecto para proyectos que no tengan que durar mucho y que no sufran desgaste, pero nada más.

2 El método más frecuente para rematar márgenes de costura es hacer un zigzag sobre ellos. Todas las máquinas de coser, excepto las más antiguas, poseen una función de zigzag. Comprobar el ancho y lo apretado del zigzag en un trozo de la tela de la labor y ajustarlos hasta que sean adecuados al margen de costura, sin fruncir la tela. Planchar la costura abierta y hacer la costura en zigzag a lo largo de un margen y luego del otro. Recortarlos después si fuera necesario.

3 Si se tiene prisa y la labor no es especial, se puede hacer el zigzag en los dos márgenes juntos. Planchar la costura primero abierta y luego aplastada.

Elegir la función de costura en zigzag y coser sobre los dos márgenes unidos. Recortarlos si hiciera falta y plancharlos hacia un lado.

4 Si la máquina posee función de sobrehilado, se puede utilizar para rematar los márgenes igual que con el zigzag.

5 Para costuras que vayan a quedar visibles, un ribete cosido con un zigzag es una solución práctica y bonita, pero laboriosa de hacer. Si se sabe cortar la tela y coser las costuras con precisión, vale la pena ribetear todos los bordes de las piezas de la labor antes de hacer las costuras; es más fácil, pero rectificar una costura es difícil. También se pueden ribetear los márgenes después de hecha la costura. Ver instrucciones en Coser un ribete al bies con zigzag (página 78).

6 Las costuras abiertas, cortadas a piquillo, rematadas con zigzag, sobrehiladas y ribeteadas, se pueden sobrecargar para mayor seguridad y las líneas de costura son un buen detalle de acabado por el derecho (ver 6a). Es práctico para telas gruesas o telas difíciles de planchar en las que los márgenes de costura no quedan aplastados.

Rematar los márgenes de costura con el método que se desee. Con el derecho hacia arriba, colocar la tela bajo la máquina con el borde del prensatelas contra la costura. Manteniendo el borde de la pata contra la costura para que la línea de sobrecarga quede impecable, coser sobre la tela y el margen de costura.

Repetir al otro lado de la costura, empezando en el mismo extremo que antes. Trabajando en la misma dirección a un lado y otro se evita deformar la tela.

Recortar y desmentir las costuras

Si en una costura hay más de dos capas de tela, o si la tela es muy gruesa, la costura puede abultar bastante, con lo que no sienta bien o se marca por el derecho al plancharla. Para evitarlo, se recortan los márgenes de la costura.

Consultar:

Planchado, páginas 26-27

Costuras en línea recta, página 30

Rematar bordes, página 32

Costuras abiertas, página 34

Utilizar preferentemente para:

Costuras abiertas

Todas las telas, sobre todo
   gruesas

Recortar

Cuando se cosen dos capas de tela gruesa, se recorta con cuidado uno de los márgenes o los dos, con tijeras pequeñas. Si se recorta un solo margen, significa que los dos no quedan alineados y que abultan menos al plancharlos hacia un mismo lado. Si se recortan los dos márgenes, la costura abulta menos al plancharla abierta. En caso de que la tela pueda deshilarse, se recorta con tijeras de piquillo o se remata el borde después de recortarlo.

Arriba: márgenes de costura con uno recortado y con los dos rematados con un zigzag.

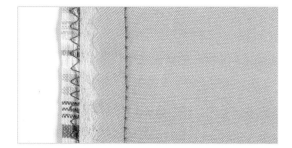

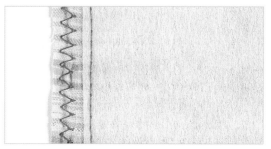

Desmentir

Si en una costura hay varias capas de tela, se recortan a distinto ancho. Arriba, el margen de la tela principal (de rayas) se ha dejado en su ancho normal. La entretela se ha recortado a 1 cm y el forro a 5 mm. El borde de la tela principal se puede rematar con un zigzag o sobrehilado, la entretela no se deshila y se puede dejar tal cual, y el forro se recorta con tijeras de piquillo porque resultaría difícil rematar un margen tan estrecho.

Si la tela lleva entretela de coser, como la de arriba, se puede recortar ésta muy cerca de la costura porque no se deshila. Si la entretela se pega con la plancha, hay que recortarla antes de pegarla a la tela y de hacer la costura.

Costuras con forma

También estas costuras se deben recortar, pero de modo distinto según se trate de esquinas, curvas o puntas. Ver Esquinas y curvas (páginas 65-71) para saber cómo tratar los márgenes de costura en cada caso.

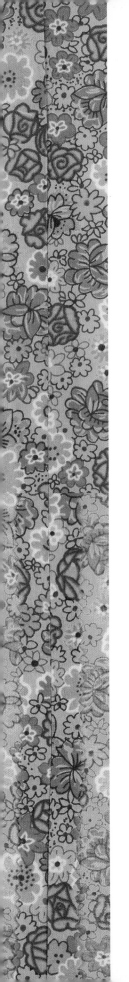

Costuras abiertas

Son el tipo más básico de costuras y las que más se van a utilizar. Aunque son fáciles de hacer, conviene aprender a hacerlas lisas y bien, porque todas las labores quedan mejor cuando las costuras están perfectas.

Consultar:

Puntos, página 23

Cómo se cose a máquina,
    página 21

Prender, página 24

Hilvanar, página 25

Planchado, páginas 26-27

Costuras en línea recta, página 30

Empezar y terminar una costura,
    página 31

Rematar bordes, página 32

Utilizar preferentemente para:

Costuras rectas

Costuras en curva suave

Todas las telas, sobre todo
    las gruesas

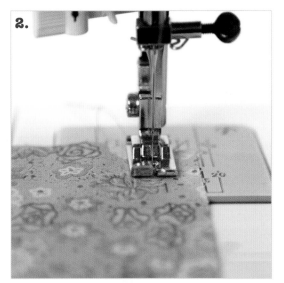

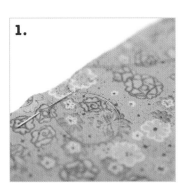

1 Poniendo derecho con derecho, prender las dos piezas de tela y, si es necesario, hilvanarlas a 1 cm de los cantos.

2 Seleccionar en la máquina un punto recto mediano. Colocar la tela en la máquina, para dejar un margen de costura de 1,5 cm. Si se van a dar puntadas hacia atrás en los extremos de la costura para afianzarla, situar la tela de modo que la aguja empiece a coser a 1 cm del comienzo de la costura.

A la izquierda: costura abierta, por el derecho de la labor (arriba) y por el revés (abajo).

3 Hacer el punto atrás durante 1 cm y luego coser hacia delante para hacer la costura. Al llegar al otro extremo, coser hacia atrás durante 1 cm.

4 Quitar los hilvanes. Planchar la costura aplastándola y luego plancharla abierta. Rematar los márgenes de costura como se desee.

Falsa costura francesa

La falsa costura francesa, más fácil de hacer que la costura francesa tradicional, consiste en envolver totalmente los cantos de la tela, logrando por el revés un acabado muy bonito. No se utiliza con telas gruesas porque abultaría y la costura quedaría muy rígida. Esta costura, la francesa (página 36) y la costura con dobladillo (página 37), producen un pequeño relieve por dentro, donde se encuentran los márgenes encerrados, por lo que no se recomiendan para prendas ajustadas.

Consultar:

Puntos, página 23
Cómo se cose a máquina, página 21
Prender, página 24
Hilvanar, página 25
Planchado, páginas 26-27
Costuras en línea recta, página 30
Empezar y terminar una costura, página 31
Costuras abiertas, página 34

Utilizar preferentemente para:

Costuras rectas

Costuras en curva suave

Telas transparentes, finas e intermedias

Costuras que se vean por el revés

Costuras sometidas a desgaste por el revés

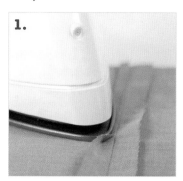

1 Coser las piezas una con otra siguiendo los pasos 1-4 de Costuras abiertas, pero no rematar los márgenes. Doblar uno de los márgenes por el centro, casando el canto con la línea de costura. Planchar el doblez.

2 Doblar y planchar el otro margen de igual modo.

3 Doblar la tela poniendo derecho con derecho y alisarla. Planchar la parte de la costura de modo que se toquen los bordes doblados de los márgenes de costura.

4 Colocar la tela en la máquina de coser de modo que la aguja empiece a coser muy cerca de los bordes doblados. Se puede comprobar si la tela está bien colocada girando la rueda manual para bajar la aguja hasta que toque la tela. Coser los bordes y anudar los hilos para afianzarlos (es muy difícil hacer un punto atrás tan cerca del borde).

5 Planchar la zona de la costura y abrir luego la tela volviendo a planchar el margen de costura hacia un lado.

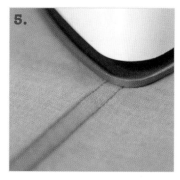

Derecha: falsa costura francesa por el derecho de la labor (arriba) y por el revés (abajo).

Costura francesa

Es una costura clásica que encierra los cantos de la tela en un acabado impecable por las dos caras de la labor. Va bien sobre todo con telas transparentes, como el organdí de algodón que se utiliza aquí, pero no con telas que se deshilan con facilidad. Hay que trabajar con cuidado y cortar con exactitud los márgenes en el paso 2 para que no asomen hilos en la costura del final.

Consultar:
Puntos, página 23
Cómo se cose a máquina,
    página 21
Prender, página 24
Hilvanar, página 25
Planchado, páginas 26-27
Costuras en línea recta, página 30
Empezar y terminar una costura,
    página 31
Costuras abiertas, página 34

Utilizar preferentemente para:
Costuras rectas
Telas transparentes, finas e
    intermedias
Costuras que se vean por el revés
Costuras sometidas a desgaste
    por el revés

1.

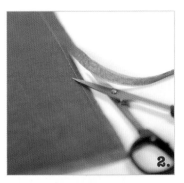
2.

3.

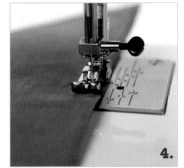
4.

5.

1 Prender las piezas de tela, revés con revés. Coser las piezas una con otra siguiendo los pasos 1-3 de Costuras abiertas, pero dejando un margen de 1 cm. Planchar la zona de la costura para aplastarla, pero no planchar la costura abierta.

2 Recortar los dos márgenes de costura a unos 3 mm.

3 A lo largo de la costura, doblar la tela derecho con derecho, con la costura escondida en el doblez. Prender las capas de tela.

4 Colocar la tela bajo el prensatelas de la máquina, con el doblez a 5 mm de la aguja. Muchas máquinas carecen de la marca de 5 mm, por lo que se pueden medir los 5 mm a partir de la aguja y pegar cinta de pintor en la placa o utilizar un prensatelas de 5 mm, como aquí. Hacer la costura, dando unas puntadas hacia atrás en los extremos para afianzarla.

5 Planchar la zona de la costura, luego abrir la tela aplastada y planchar el margen de costura hacia un lado.

A la izquierda: costura francesa por el derecho de la labor (arriba) y por el revés (abajo).

Costura con dobladillo

De todas las costuras con bordes escondidos, ésta es la mejor para telas que se deshilan con facilidad, como el dupión de seda que se utiliza aquí, pero no se debe emplear con telas gruesas. El revés no queda tan bonito como en la Falsa costura francesa (página 35) o en la Costura francesa (página 36), pero sí es duradero.

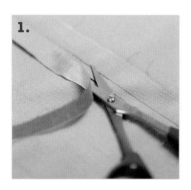

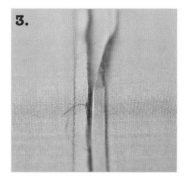

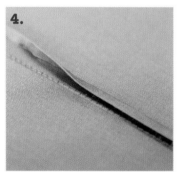

Consultar:
Puntos, página 23
Cómo se cose a máquina, página 21
Prender, página 24
Hilvanar, página 25
Planchado, páginas 26-27
Costuras en línea recta, página 30
Empezar y terminar una costura, página 31
Costuras abiertas, página 34

1 Coser las piezas una con otra siguiendo los pasos 1-4 de Costuras abiertas, pero no rematar los márgenes. Recortar uno de ellos a 5 mm.

2 Planchar el margen recortado hacia el otro de forma que quede sobre él.

3 Doblar el margen de costura sin cortar, sin que el doblez toque el canto recortado. Planchar el doblez.

4 Doblar el borde planchado por encima del margen recortado de modo que el doblez quede siguiendo las puntadas de la costura original.

El doblez no debe montar sobre la costura para que la costura no abulte por el derecho.

5 Doblar la tela derecho con derecho, a lo largo de la costura original, y planchar los márgenes de costura doblados. Colocar la tela en la máquina de coser de modo que la aguja empiece a coser junto al borde doblado: se puede comprobar girando la rueda manual para bajar la aguja hasta que toque la tela. Hacer la costura a máquina. Planchar la zona de la costura, luego abrir la tela y planchar el margen de costura encerrado hacia un lado, de modo que el borde doblado quede encima.

Utilizar preferentemente para:
Costuras rectas
Telas finas e intermedias
Telas que se deshilan con facilidad
Costuras sometidas a desgaste por el revés

Derecha: costura con dobladillo por el derecho de la labor (arriba) y por el revés (abajo).

Costura montada

Es seguramente más conocida por ser la que recorre las perneras de los pantalones vaqueros. Es una costura aplastada, resistente, adecuada para telas fuertes y, contrariamente a las demás costuras con márgenes cosidos, queda aplastada por el revés y es por tanto muy cómoda. Para que quede bonita, la costura de acabado del paso 5 debe hacerse bien recta.

Consultar:

Puntos, página 23

Cómo se cose a máquina,
    página 21

Prender, página 24

Hilvanar, página 25

Planchado, páginas 26-27

Costuras en línea recta, página 30

Empezar y terminar una costura,
    página 31

Costuras abiertas, página 34

Utilizar preferentemente para:

Costuras rectas

Telas intermedias y gruesas

Costuras que sufran desgaste
    por el revés

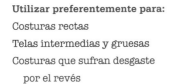

Izquierda: costura montada por el derecho de la labor (arriba) y por el revés (abajo).

1 Prender las piezas de tela una con otra revés con revés. Coser las piezas siguiendo los pasos 1-4 de Costuras abiertas, pero no rematar los márgenes. Recortar uno de los márgenes a 5 mm.

2 Planchar el margen recortado sobre el margen sin recortar.

3 Doblar el borde del margen sin recortar de modo que toque el canto del margen recortado. Planchar el doblez.

4 Planchar todo el margen sin recortar encima del recortado, cubriéndolo y de modo que los cantos queden ocultos.

5 Colocar la tela en la máquina de coser para que la aguja empiece la costura muy cerca del borde doblado. Se puede comprobar que la tela está

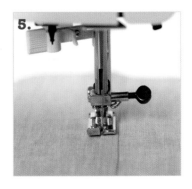

bien situada girando la rueda manual para bajar la aguja hasta que toque la tela. Coser a máquina muy cerca del borde doblado para terminar la costura. Planchar para aplastarla.

Costuras cruzadas

Las costuras que se cruzan o que se unen reciben un tratamiento especial para evitar bultos por acumulación de márgenes. En este ejemplo se muestran costuras cruzadas, pero se aplica el mismo principio en el caso de costuras que forman una T.

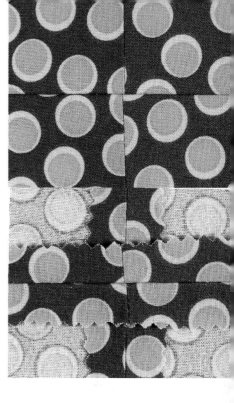

Derecha: costuras cruzadas por el derecho de la labor (arriba) y por el revés (abajo).

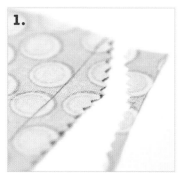

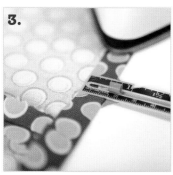

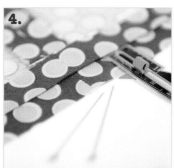

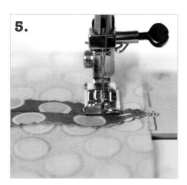

1 Coser las primeras piezas unidas siguiendo los pasos 1-3 de Costuras abiertas. Planchar aplastando la zona de la costura, pero no planchar la costura abierta. En el extremo donde se vaya a cruzar la costura, recortar los márgenes en pico, empezando a unos 2 cm del final de la costura y terminando a unos 3 mm de la línea de costura. Si se cortan los márgenes con tijeras de piquillo se evita que se deshilen sin añadirles volumen.

2 Planchar la costura abierta. Repetir los pasos 1-2 en la otra pieza del cruce.

3 Medir exactamente y planchar hacia dentro el margen de costura (cruzando el extremo recortado de la primera costura) en una de las piezas que se van a unir.

4 Colocar la pieza planchada encima de la otra, a 1,5 cm del canto, y casar las costuras perfectamente. Prender las piezas; luego planchar de nuevo la costura de arriba para aplastarla.

5 Dejando un margen de costura de 1,5 cm, coser la nueva costura igual que una costura abierta. Coser con cuidado por encima de los extremos de la primera costura, comprobando que no se arrugan los márgenes.

6 Planchar la nueva costura primero aplastada y luego abierta.

Consultar:

Puntos, página 23

Cómo se cose a máquina, página 21

Prender, página 24

Hilvanar, página 25

Planchado, páginas 26-27

Costuras en línea recta, página 30

Empezar y terminar una costura, página 31

Costuras abiertas, página 34

Utilizar preferentemente para:

Telas finas e intermedias

Jaretones

Muchas de las labores requieren un jaretón en alguna parte, ya se trate del bajo de una falda, en la parte superior de un bolso o en la abertura de una funda de almohada. Un jaretón liso y bonito, del tipo más adecuado a la labor, contribuye a lograr ese acabado que marca la diferencia entre una labor casera y una de artesanía.

Margen de jaretón

El ancho de la tela que se doble para hacer el jaretón se llama margen de jaretón. En telas finas suele ser de 2,5 cm en el caso de un jaretón simple y de unos 3,5 cm en el caso de un jaretón doble o dobladillo —el más utilizado—. Comprobar siempre lo que se especifique en el patrón.

Los márgenes de jaretón en telas más gruesas pueden ser de hasta 8 cm, porque si son más estrechos quedan duros y abultados.

Para las cortinas se suele dejar un margen de hasta 20 cm.

Se puede aumentar el ancho del margen en la ropa de niños para soltar el jaretón cuando crezcan, pero siempre teniendo en cuenta que un jaretón demasiado ancho no tiene buen caída. Al soltarlo, luego puede quedar una marca indeleble en la línea de doblez original (ver Coser una cinta o un galón, página 90), pero a un pequeño pendiente de la moda, este detalle no le importará.

Jaretón sencillo

Arriba: jaretón sencillo por el derecho (a la izquierda) y por el revés (a la derecha).

Es el tipo de jaretón más básico y solamente se utiliza si se va a volver el borde de la prenda o si la labor no va a sufrir mucho desgaste —por ejemplo, un disfraz de Halloween—. El canto se puede rematar con un zigzag. Aunque se tengan tentaciones de utilizar los orillos, pueden causar problemas: consultar el recuadro de más abajo antes de utilizarlos.

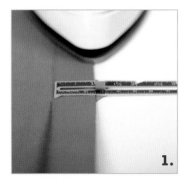

Consultar:

Puntos, página 23

Cómo se cose a máquina,
    página 21

Prender, página 24

Planchado, páginas 26-27

Empezar y terminar una costura,
    página 31

Utilizar preferentemente para:

Jaretones rectos

Orillos

Todas las telas

1 Con una regla o un calibre de costura, comprobar la medida a lo largo del jaretón, doblar el borde del orillo sobre la tela unos 2,5 cm. Planchar el doblez.

2 Prender el borde del orillo en su sitio. Seleccionar en la máquina un punto recto mediano. Colocar la tela debajo del prensatelas, con el borde de la pata contra el borde del orillo. Coser a máquina el jaretón, quitando los alfileres al llegar a ellos y dando unas puntadas hacia atrás en cada extremo para afianzar la costura.

Orillos

El orillo es el borde a lo largo de la tela: se forma durante la producción de la tela y no se deshila. Las telas tejidas, como la que se utiliza aquí, tienen un orillo del mismo color que la parte principal de la tela, pero el tejido puede ser algo distinto, más tupido. Puede encoger con el lavado, con lo que el jaretón tiraría y se producirían frunces poco atractivos. Las telas estampadas suelen tener el orillo blanco —a veces con el nombre del fabricante impreso— y también con un tejido distinto. Si se desea utilizar el orillo, lavar un trozo de tela antes para ver cómo queda.

Dobladillo

Arriba: dobladillo por el derecho de la labor (a la izquierda) y por el revés (a la derecha).

Este tipo de jaretón es el más utilizado y proporciona un acabado impecable, al esconder el canto de la tela. Si la tela se deshila con facilidad, se puede cortar la tela con tijeras de piquillo o rematar con un zigzag antes de hacer el primer doblez.

Consultar:

Puntos, página 23

Cómo se cose a máquina,
    página 21

Prender, página 24

Hilvanar, página 25

Planchado, páginas 26-27

Empezar y terminar una costura,
    página 31

Rematar bordes, página 32

Jaretón sencillo, página 42

1 Con una regla o un calibre de costura, comprobar el ancho a lo largo del jaretón, doblar el borde de la tela 1 cm. Planchar el doblez.

2 Doblar la tela otros 2,5 cm y planchar este segundo doblez. Prender el borde doblado en su sitio y hacer a máquina el jaretón igual que el jaretón sencillo, situando el borde del prensatelas contra el borde planchado.

Utilizar preferentemente para:

Jaretones rectos

Todas las telas

Dobladillo estrecho

Puede resultar complicado hacer un dobladillo muy estrecho, sobre todo en telas transparentes. Este método es rápido, fácil y eficaz. Se necesita un margen del ancho deseado del dobladillo, más 1,5 cm.

Consultar:

Puntos, página 23

Cómo se cose a máquina,
    página 21

Prender, página 24

Hilvanar, página 25

Planchado, páginas 26-27

Empezar y terminar una costura,
    página 31

Dobladillo, página 43

Utilizar preferentemente para:

Jaretones rectos

Telas transparentes y finas

1 Con una regla o un calibre de costura, comprobar la medida a lo largo del jaretón, doblar el borde de la tela 1,5 cm y prenderlo. Seleccionar en la máquina un punto recto mediano y hacer una costura a máquina sobre el borde doblado, muy cerca del doblez.

2 Recortar el margen de costura junto a la costura. La distancia entre el borde doblado y el canto cortado indica el ancho del dobladillo.

3 Doblar el jaretón para esconder el canto cortado y hacer de nuevo una costura a máquina, cosiendo por encima de la costura anterior para terminar el dobladillo.

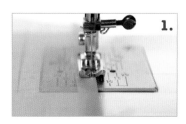

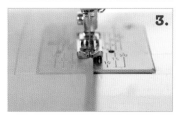

Abajo: dobladillo estrecho por el derecho de la labor (izquierda) y por el revés (derecha).

Jaretón a punto escondido

Arriba: jaretón a punto escondido por el derecho de la labor (izquierda) y por el revés (derecha).

Este tipo de jaretón supone que en la máquina existe una función de punto escondido, pero como es bastante básica, la mayoría de las máquinas modernas cuentan con ella. Requiere cierta manipulación para que el resultado sea perfecto, por lo que se debe consultar el manual de la máquina para conocer las informaciones pertinentes y luego practicar en un trozo de tela suelto antes de emprender la labor.

Consultar:

Puntos, página 23

Cómo se cose a máquina, página 21

Prender, página 24

Hilvanar, página 25

Planchado, páginas 26-27

Empezar y terminar una costura, página 31

Rematar bordes, página 32

Dobladillo, página 43

Utilizar preferentemente para:

Jaretones rectos

Todas las telas

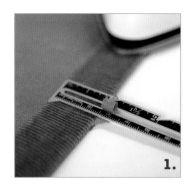

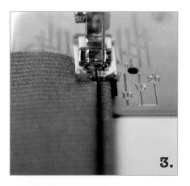

1 Seguir los pasos 1-2 del Dobladillo.

2 Doblar el jaretón planchado hacia el derecho de la tela de modo que se vea solamente una tirita del centímetro del jaretón. El ancho de la tirita que deba doblarse depende de los ajustes de la máquina de coser, y aquí es donde intervienen las instrucciones y la práctica.

3 Seleccionar en la máquina la función de punto escondido y adaptar el prensatelas correspondiente (suele ser uno de zigzag o uno especial para punto escondido). Girar la rueda manual hasta que la aguja quede en la posición lo más a la derecha posible y colocar luego la tela en la máquina de modo que la aguja quede en la tirita visible del jaretón doblado.

4 Al coser el jaretón, la aguja se desplaza hacia la izquierda, y la posición más a la izquierda debe atravesar la tela justo por encima del borde doblado hacia atrás. La aguja no debe pasar sobre el doblez porque el punto no cogería suficiente tela para afianzar el jaretón. Tampoco debe llegar demasiado lejos por encima del doblez porque entonces se vería por el derecho. Probar sobre un trozo de tela suelto hasta dar con la posición adecuada de la tela bajo la aguja y, si fuera necesario, marcar con un trozo de cinta de pintor la posición del borde derecho de la tela sobre la placa de la máquina.

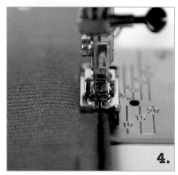

Jaretón en curva

Arriba: jaretón en curva por el derecho de la labor (izquierda) y por el revés (derecha).

En las labores con bordes en curva —como una falda de capa o un mantel redondo—, los jaretones se cosen con esta técnica. Hilvanar puede parecer un proceso largo, pero vale la pena para lograr un buen resultado. Recordar probar el marcador en un trozo de tela para asegurarse de que desaparece la marca.

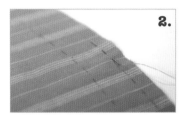

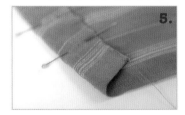

1 Medir exactamente con una regla o calibre de costura y dibujar unas líneas concéntricas a 3,5 cm y a 1 cm del borde de la tela. La mejor manera de dibujarlas es haciendo una serie de marcas a 5 cm de distancia y uniéndolas a mano.

2 Con un hilo de color que destaque, pasar un hilván a lo largo de las líneas. Se pueden dar puntadas largas, pero procurando que sean iguales. Dejar cabos largos de hilo en cada extremo del hilván más próximo al canto de la tela.

3 Doblar la tela siguiendo esa línea de hilván más baja y planchar el doblez. No importa que queden arrugas o pliegues en la parte doblada, lo fundamental es que la línea del jaretón quede suave.

4 Doblar la tela de nuevo siguiendo la línea de hilván más alta, pero no planchar aún. Prender con muchos alfileres en vertical —con la cabeza hacia fuera— para sujetar el jaretón en su sitio. De nuevo, no importa si quedan arrugas o pliegues, lo fundamental es que el jaretón forme una curva suave.

5 Con cuidado, tirar de los cabos de hilo dejados a cada lado del hilván inferior. Trabajando poco a poco a lo largo del jaretón, tirar de los cabos repartiendo los frunces por igual hasta que el borde interior quede lo más liso posible.

6 Hilvanar siguiendo el borde interior del jaretón, dando puntadas cortas para sujetar los frunces en su sitio. Planchar el jaretón, aplastando los frunces.

Consultar:

Utilizar preferentemente para:

Todas las telas

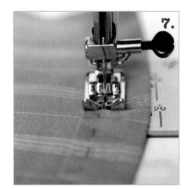

7 Seleccionar en la máquina un punto recto mediano. Colocar la tela bajo la máquina con el borde del prensatelas contra la línea interior del jaretón. Coser a máquina el dobladillo, pasando con cuidado por encima de los frunces para no formar arrugas ni bultos. Quitar los hilvanes y planchar todo el dobladillo terminado.

Dobladillo en esquina

La idea de tener que hacer una esquina a escuadra que quede bien cuadrada y lisa espanta a más de una principiante, pero no es difícil conseguirlo, basta con saber medir y planchar bien. Como siempre, se pueden sobrehilar o rematar con un zigzag los cantos de la tela si tienden a deshilarse.

Consultar:

Utilizar preferentemente para:

Todas las telas

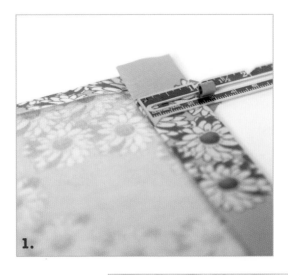

1 Utilizando una regla o calibre de costura para medir bien, doblar los bordes de la tela 1 cm y planchar los dobleces. Doblar de nuevo los bordes otros 2,5 cm y planchar estos segundos dobleces.

2 Abrir los dobladillos planchados y poner la tela con el derecho hacia abajo. En la esquina, doblar hacia atrás un triángulo de tela: la punta en donde se cruzan las segundas líneas planchadas debe quedar en el centro del segundo doblez. Planchar el doblez de la esquina.

3 Abrir la esquina y, poniendo derecho con derecho, doblar la esquina por la mitad, casando los cantos y los extremos del doblez de la esquina planchado. Prender las capas por el doblez planchado de la esquina, poniendo la cabeza del alfiler hacia los cantos de la tela.

Izquierda: dobladillo en esquina por el derecho de la labor. Derecha: por el revés.

4.

5.

6.

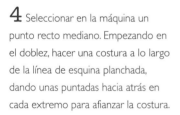

7.

8.

9.

4 Seleccionar en la máquina un punto recto mediano. Empezando en el doblez, hacer una costura a lo largo de la línea de esquina planchada, dando unas puntadas hacia atrás en cada extremo para afianzar la costura.

5 Recortar el pico de la tela a unos 5 mm de la costura. En el borde doblado, cortar un poco más de tela en diagonal, como se ve en la fotografía.

6 Abrir la esquina en cuadrado siguiendo las segundas líneas del dobladillo planchadas. Planchar hacia un lado el borde recortado en el paso 5. El ángulo cortado —que ahora queda en la punta— debe quedar dentro de la esquina cuadrada.

7 Volver la esquina hacia el derecho y planchar de nuevo las segundas líneas del dobladillo, de manera que todo quede cuadrado y aplastado.

8 Volver hacia dentro las primeras líneas de jaretón planchadas y prender en su sitio.

9 Colocar la tela bajo la máquina, con el borde del prensatelas contra la primera línea de jaretón. Hacer la costura del dobladillo, girando la tela en torno a la aguja para volver la esquina cuadrada. Planchar bien los bordes del dobladillo y la esquina.

Jaretón postizo

Arriba: jaretón postizo cosido a punto deslizado, por el derecho de la labor (izquierda) y por el revés (derecha).

Cuando no se tiene tela suficiente para hacer un dobladillo (por ejemplo, al alargar una prenda), la solución es un jaretón hecho con un galón. También sirve para telas gruesas en las que un dobladillo abultaría demasiado. En este ejemplo se utiliza una tela fina de algodón y una cinta, pero en caso de telas de mucho cuerpo se pone un galón especialmente fabricado para jaretones. Antes de coser el galón, se remata con un zigzag el canto de la tela si tiende a deshilarse.

Consultar:

Puntos, página 23

Cómo se cose a máquina,
    página 21

Prender, página 24

Hilvanar, página 25

Planchado, páginas 26-27

Empezar y terminar una costura,
    página 31

Jaretón sencillo, página 42

Jaretón con vista, página 49

Utilizar preferentemente para:

Jaretones rectos

Todas las telas, sobre todo
    gruesas

1.

2.

3.

4.

1 Con una regla o un calibre de costura para comprobar la medida a lo largo del jaretón, doblar 1 cm el borde de la tela. Planchar el doblez.

2 Colocar la tela lisa y prender la cinta por el derecho, a 5 mm del doblez.

3 Seleccionar en la máquina un punto recto mediano. Colocar la tela bajo el prensatelas con el borde de la pata contra el doblez: al empezar a coser, la línea de costura debe quedar sobre la cinta, muy cerca del borde superior. Coser a máquina la cinta sobre la tela.

4 Volver a doblar la tela por la línea planchada en el paso 1; ahora existen dos posibilidades para terminar: se puede coser a máquina el otro borde de la cinta y se puede coser a mano, a punto deslizado, como en la fotografía. El punto deslizado apenas se ve por el derecho, mientras que si se hace una costura a máquina, quedará visible (ver paso 6, Jaretón con vista, a la derecha).

Cinta o galón

El galón o la cinta deben ser de un grosor parecido al de la tela, por lo que no se utilizará una cinta fina sobre un tejido de lana grueso. Hay que tener también en cuenta el lavado: la cinta y la tela deben ser compatibles en ese aspecto. Una vez resueltas estas cuestiones, hay que considerar cómo va a quedar. Una cinta bonita, con dibujo, no se va a ver, pero quien la lleva sabe que está ahí. Supone un acabado fantástico que impresionará a quienes alcancen a verla.

Jaretón con vista

Arriba: jaretón con vista cosida a máquina por el derecho de la labor (izquierda) y por el revés (derecha).

Este tipo de jaretón es parecido al postizo y resulta una buena opción si falta tela de la labor, pero como se unen dos telas muy cerca de la línea del jaretón, no es adecuado para telas gruesas porque la costura puede abultar. Es también una buena oportunidad para dar un toque de diseño a una labor, añadiéndole una vista de una tela que complemente —o contraste con— la tela principal. La vista tendrá entre 7 y 4 cm de ancho y será de una tela de grosor y contenido de fibra parecidos a los de la tela principal. La técnica se explica aquí para un jaretón recto, pero también sirve para jaretones en curva, en cuyo caso se corta la vista siguiendo la curva de la tela de la labor.

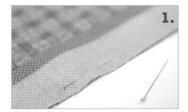

Consultar:

Utilizar preferentemente para:

Jaretones rectos y en curva

Telas finas e intermedias

1 Cortar una vista del ancho necesario más 3 cm para el margen del jaretón y de la costura. Doblar y planchar 1,5 cm a lo largo del borde superior de la vista. Poniendo derecho con derecho y casando los cantos, prender la vista sobre la tela de la labor.

2 Seleccionar en la máquina un punto recto mediano. Con hilo a tono con la vista y dejando un margen de 1,5 cm, coser a máquina la vista sobre el jaretón.

3 Recortar el margen de costura de la tela de la labor reduciéndolo a la mitad. Este borde se puede cortar con tijeras de piquillo si la tela tiende a deshilarse.

4 Planchar la costura aplastada y luego la vista, presionando ambos márgenes hacia la vista.

5 Hacer una costura a máquina a 3 mm de la línea de costura, cosiendo los dos márgenes de costura y la vista.

6 Doblar la vista hacia el revés de la tela de la labor, doblando un poquito de la tela de la labor al mismo tiempo para asegurarse de que la vista no se vea por el derecho. Planchar el doblez. Se puede rematar el borde superior como el jaretón postizo, haciendo a mano un punto deslizado o cosiéndolo a máquina. Si se cose a punto deslizado, elegir un hilo del color de la tela principal. Si se cose a máquina, se coloca la vista por encima y se coordina el hilo de la bobina con la vista y el de la canilla con la tela, para que quede bien.

Cierres

Cremalleras, botones, cintas y presillas de rulo son cierres que se utilizarán para abrochar las labores. Existen consejos y trucos para insertarlos y confeccionarlos que facilitarán la tarea y ayudarán a conseguir mejores resultados.

Cremallera centrada

Este modelo de cremallera se utiliza típicamente para abrochar una falda o un pantalón. Las cremalleras pueden parecer complicadas, pero si se siguen con cuidado estas indicaciones, resultarán fáciles de poner. La técnica es la misma sea cual sea el tipo de cremallera: invisible, de vestido o con dientes de metal.

Consultar:

Utilizar preferentemente para:
Cremallera que se abre en lo alto de una costura

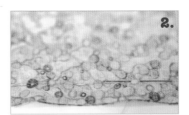

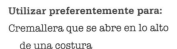

1 Marcar con un alfiler en la línea de costura el lugar donde se a va a situar el final de la cremallera. Hacer la costura hasta el alfiler y dar unas puntadas hacia atrás para afianzar el final de la costura.

2 Con un marcador para tela, marcar la línea de costura en la parte abierta, donde va a ir la cremallera. Hilvanar a lo largo de la línea, dando puntadas cortadas para cerrar la parte abierta de la costura.

3 Planchar abierta toda la costura —la sección cosida a máquina y la sección hilvanada—. Ahora se rematan los cantos del margen de costura con un zigzag o con sobrehilado.

4 Con el derecho de la tela hacia abajo, situar el final cerrado de la cremallera sobre la parte cosida a máquina, justo debajo de donde empieza el hilván. Alinear los dientes con la línea de costura y prender la cremallera por el galón. Situar la cremallera a lo largo de la parte hilvanada de la costura, manteniendo los dientes alineados con la línea de costura y prenderla en su sitio.

5 Hilvanar la cremallera en su sitio, a ambos lados de los dientes. Pasar el hilván por el centro del galón para no enganchar la costura a máquina.

6 Cuando se cosa la cremallera a máquina, habrá que desplazar el tirador y en algunas cremalleras es más fácil subirlo que bajarlo. Comprobar cómo se desplaza en la cremallera que se va a poner; y si resulta complicado bajarlo, entonces se abre ahora la cremallera hasta la mitad, antes de empezar a coser.

7 Seleccionar en la máquina un punto recto mediano y poner el prensatelas para cremallera. Situar la parte alta de la cremallera bajo el prensatelas con el lateral de la pata contra los dientes de la cremallera, de modo que la aguja empiece a coser lo más cerca posible de los dientes. Trabajando muy despacio, coser la cremallera en su sitio —manteniendo el borde del prensatelas a lo largo de los dientes de la cremallera— hasta justo antes de llegar al tirador.

8 Detener la costura con la aguja en la labor. Levantar el prensatelas y pasar el tirador al otro lado de la aguja. Puede resultar complicado y habrá que hacer pivotar la labor alrededor de la aguja, lo que no es difícil si la aguja permanece firmemente clavada en la tela. No subir el tirador hasta arriba, sólo lo suficiente para salvar la aguja. Enderezar la labor, bajar el prensatelas y seguir cosiendo hasta la parte baja de la cremallera, justo debajo de la retención.

9 Coser cruzando el galón de la cremallera por debajo de la retención. Cortar los hilos y anudar los cabos para afianzar la costura.

10 Pasar el prensatelas para cremallera al otro lado. Empezando arriba de la cremallera, repetir los pasos 7-8 para coser en su sitio el galón del otro lado de la cremallera, anudando los cabos para afianzar la costura. Cosiendo los dos lados de arriba abajo, se evita que se retuerza la tela.

11 Con tijeras de bordar finas y la punta de una aguja de zurcir, cortar y tirar de los hilvanes para quitarlos. Planchar la tela aplastándola sobre la cremallera.

El truco de la cremallera

Si la falda o el pantalón van a llevar cinturilla y una cremallera centrada o con pestaña, comprar una cremallera que mida unos 5 cm más de lo necesario. Preparar la costura y situar la parte de retención de la cremallera como siempre. Prender la cremallera en su sitio de modo que la parte de arriba y el tirador sobresalgan del borde de la tela. La cremallera se cose fácilmente y con rapidez, sin tener que salvar la aguja con el tirador. Quitar los hilvanes, abrir la cremallera, cortar la sección que sobresale por arriba y coser la cinturilla por encima de los dientes de arriba de la cremallera. Así de fácil.

Arriba: cremallera centrada.

Cremallera integrada

Esta cremallera se cose en medio de una costura, quizá en la costura lateral de un vestido o por detrás de una funda de cojín. El principio es muy parecido al de la cremallera centrada.

Consultar:

Utilizar preferentemente para:
Cremallera que se abre en medio
   de una costura

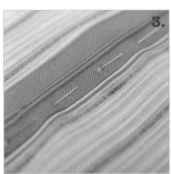

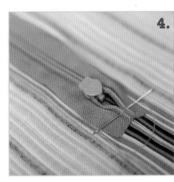

1 Seguir los pasos 1-2 de la Cremallera centrada, poniendo un alfiler para marcar los extremos de la cremallera y cosiendo los dos extremos de la costura. Hilvanar la sección central abierta.

2 Planchar abierta toda la costura —la parte cosida a máquina y la parte hilvanada—. Ahora se rematan los cantos de los márgenes de costura haciendo un zigzag o sobrehilándolos.

3 Seguir los pasos 4-6 de la Cremallera centrada para prender y luego hilvanar la cremallera en su sitio.

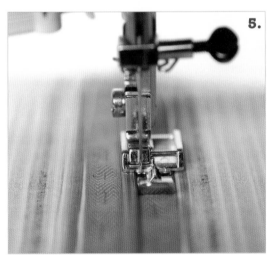

4 En lo alto de la cremallera, hilvanar la parte sin dientes del galón una con otra, por arriba del tirador.

5 Seguir los pasos 7-11 de la Cremallera centrada para coser a máquina la cremallera y rematarla. Hacer una costura a máquina sobre la parte hilvanada de los galones arriba, bajar por un lateral y luego por el otro, empezando arriba.

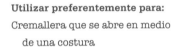

Izquierda: cremallera integrada.

Cremallera de separación

Es el tipo de cremallera que se utiliza en chaquetas; las dos mitades se separan del todo abajo. Se encuentran cremalleras de nailon de este tipo en ciertos colores, pero las más habituales son las de dientes de metal.

Utilizar preferentemente para:

Cremalleras que deban abrirse del todo

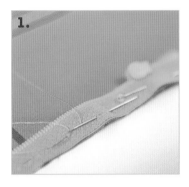

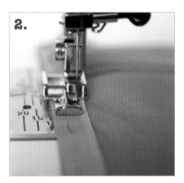

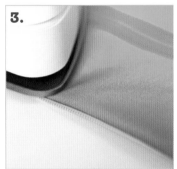

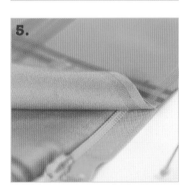

1 Rematar los bordes de la tela antes de poner la cremallera. Abrir y separar la cremallera y poner el lado con el tirador con el derecho hacia abajo sobre el derecho de una pieza de tela. Casar el borde del galón de la cremallera con el canto de la tela. Prender y luego hilvanar este lado de la cremallera en su sitio.

2 Seguir los pasos 7-8 de la Cremallera centrada para coser a máquina la cremallera. Anudar los cabos por el revés en cada extremo.

3 Doblar el galón de la cremallera hacia el revés de la tela de modo que solamente asomen los dientes por el derecho. Planchar el doblez.

4 Cerrar la cremallera y poner la mitad sin coser sobre la mitad cosida.

5 Con la cremallera plana y el derecho hacia arriba, colocar la otra pieza de tela con el derecho hacia abajo encima de ella. Casar el canto de la tela con el borde del galón de la cremallera, prender y luego hilvanar.

6 Volver a abrir y separar la cremallera. Coser a máquina, doblar y planchar el otro lado de la cremallera igual que se hizo para el primer lado. Quitar todos los hilvanes.

Derecha: cremallera de separación. Se puede sobrecargar la tela junto a los dientes de la cremallera para mantener aplastado el galón de ésta; en este ejemplo se ha sobrecargado el lado izquierdo.

Cremallera con pestaña

Igual que la cremallera centrada, este modelo se utiliza para faldas y pantalones, pero ofrece un aspecto más profesional al llevar una pestaña que oculta totalmente los dientes de la cremallera. Hay varias formas complicadas de poner este tipo de cremallera, pero este método es sencillo. Seguramente se preferirá —como me pasa a mí— a la cremallera centrada por su acabado y la facilidad con que se inserta. En este ejemplo, la pestaña queda a la derecha.

Consultar:

Puntos, página 23

Cómo se cose a máquina, página 21

Prender, página 24

Hilvanar, página 25

Planchado, páginas 26-27

Costuras en línea recta, página 30

Empezar y terminar una costura,
      página 31

Rematar bordes, página 32

Costuras abiertas, página 34

Cremallera centrada,
      páginas 52-53

Utilizar preferentemente para:
Cremalleras que se abren en lo
      alto de una costura

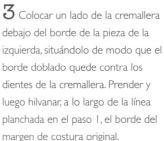

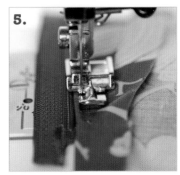

1 Seguir el paso 1 de Cremallera centrada para hacer la costura por debajo de donde va a ir la cremallera. Con un calibre de costura para medir bien, planchar hacia el revés unos márgenes de 1,5 cm en la parte abierta. Rematar los márgenes de costura con un zigzag o sobrehilándolos.

2 Colocar la tela con el derecho hacia arriba y la parte abierta de la costura hacia quien cose. Abrir el margen de costura de la izquierda y volver a doblar y planchar 1 cm sobre el revés. A la derecha se ve la línea planchada original y 5 mm más de tela.

Derecha: cremallera con pestaña.

3 Colocar un lado de la cremallera debajo del borde de la pieza de la izquierda, situándolo de modo que el borde doblado quede contra los dientes de la cremallera. Prender y luego hilvanar, a lo largo de la línea planchada en el paso 1, el borde del margen de costura original.

4 Seleccionar en la máquina un punto recto mediano y poner el prensatelas para cremallera. Colocar la parte alta de la cremallera, con el derecho hacia arriba, bajo el prensatelas, poniendo el lateral de la pata contra los dientes de la cremallera. Mantener la pieza de tela de la derecha doblada con el derecho hacia abajo, al otro lado de donde se

está cosiendo. Coser a máquina el lado de la cremallera hilvanado.

5 Al llegar cerca de la parte baja de la cremallera, comprobar que la parte derecha de la tela queda separada para poder coser más allá de donde empieza la costura y coser el galón sobre el margen de costura hasta debajo de la cremallera.

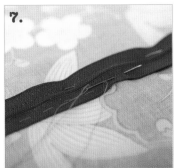

6 Poniendo el derecho hacia arriba, colocar la pieza de la derecha sobre la cremallera, casando el borde doblado con la línea del lado izquierdo planchada en el paso 1. Prender la pestaña en su sitio.

7 Volver la tela. Por el revés, hilvanar el lado libre del galón de la cremallera con la tela. Hacer las puntadas en línea recta, que servirán de guía al coser a máquina ese lado de la cremallera.

8 Con el derecho hacia arriba, colocar la tela bajo el prensatelas de modo que la aguja empiece a coser a lo largo del hilván hecho en el paso 7. Ésta es una de esas veces que se cose por encima de un hilván y habrá que sacarlo luego con cuidado. Coser a máquina la cremallera de arriba abajo.

9 Dejar la aguja clavada en la tela, levantar el prensatelas y girar la tela 90° en torno a la aguja. Coser la parte inferior de la pestaña. Anudar los cabos por el revés para afianzar la costura. Quitar todos los hilvanes.

Acortar una cremallera

A veces no se consigue una cremallera del largo adecuado, pero si se trata de cremalleras centradas, integradas y con pestaña, se pueden acortar al largo que se desee. Esta técnica sirve para todas las cremalleras con dientes de nailon; para las que tienen dientes de metal, seguir el paso 1 y luego utilizar alicates de manualidades para quitar un par de dientes, a 1 cm por debajo de las puntadas, y poder cortar el galón sin estropear las tijeras.

Consultar:
Cremallera centrada,
     páginas 52-53
Cremallera integrada, página 54
Cremallera con pestaña,
     páginas 56-57

Utilizar preferentemente para:
Cremalleras centradas,
     integradas y con pestaña

1 Enhebrar una aguja con una hebra puesta en doble, de un color a tono con la cremallera (aquí se utiliza uno contrastado para mayor claridad). A la altura que se requiera, dar cinco o seis puntadas rectas, bien fuertes, por encima de los dientes de la cremallera. Afianzar la hebra con un par de puntadas hacia atrás en el galón de la cremallera.

2 Con tijeras de piquillo, cortar el galón a 1 cm por debajo de las puntadas.

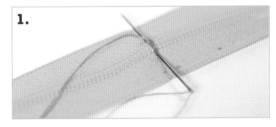

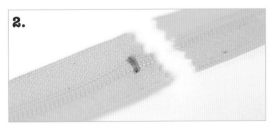

Ojales automáticos

Esta función no se encuentra en todas las máquinas, pero yo la recomiendo. Con ella se realizan ojales de aspecto profesional rápida y fácilmente. Las distintas máquinas tienen un modo algo diferente de hacer los ojales automáticos, por lo que se debe leer antes el manual.

Consultar:

Compra de la primera máquina de
   coser, página 13
Puntos, página 23
Cómo se cose a máquina, página 21
Planchado, páginas 26-27

Utilizar preferentemente para:

Ojales en tela

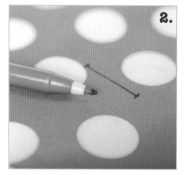

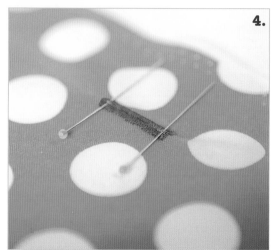

1 Situar el botón que se vaya a utilizar en el prensatelas para ojales. La máquina hará automáticamente el ojal del tamaño adecuado.

2 Marcar en la tela la posición del ojal.

3 Colocar la tela bajo el prensatelas de modo que la aguja empiece a coser en el extremo del ojal más próximo a quien cose. Seleccionar en la máquina la función de ojal. Presionar despacio el pedal de funcionamiento y la máquina hará el ojal. Hay que estar preparado para guiar suavemente la tela, sobre todo si el ojal está cerca de una costura, porque alguna arruga o

bulto podría desviar el ojal. Cuando esté terminado el ojal, se tira de los hilos hacia el revés y se cortan.

4 Planchar las puntadas. Poner un alfiler en cada extremo del ojal, por dentro de la barrita de puntadas. Con esos alfileres se tiene la seguridad de no cortar las puntadas accidentalmente.

5 Con tijeras cortas, de punta fina, abrir con mucho cuidado el ojal. Meter una punta de las tijeras en la tela en medio del ojal para cortar hacia un extremo y luego girar y cortar hacia el otro extremo.

Ojales manuales

Si no se dispone en la máquina de función de ojales automáticos, se pueden hacer los ojales manuales, pero hay que practicar antes porque es difícil hacerlos bien. En algunas máquinas el punto de zigzag no queda tan fuerte cosido hacia adelante como hacia atrás, por eso los dos lados del ojal no quedan iguales.

Consultar:

Puntos, página 23

Cómo se cose a máquina, página 21

Planchado, páginas 26-27

Ojales automáticos, página 58

Utilizar preferentemente para:

Ojales en tela

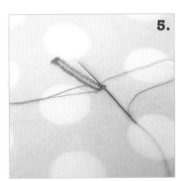

1 Marcar la posición del ojal sobre la tela. Seleccionar en la máquina un zigzag ancho con largo de puntada cero. Colocar la tela bajo el prensatelas de modo que la aguja empiece a coser en el extremo del ojal más próximo a quien cose. Dar cuatro o cinco puntadas terminando con la aguja a la izquierda, pero no clavada en la tela.

2 Seleccionar en la máquina un zigzag muy estrecho y apretado. Accionar la palanca de costura hacia atrás y coser despacio hacia atrás a lo largo de la línea marcada. El borde derecho de la costura debe apenas cubrir la línea. Terminar con la aguja a la izquierda, pero no en la tela.

3 Repetir seleccionando un zigzag ancho y un largo de puntada cero. Dar cuatro o cinco puntadas terminando con la aguja a la derecha, pero no clavada en la tela.

4 Volver a seleccionar un zigzag muy estrecho y apretado. Coser hacia delante hasta llegar a la barra cosida en el paso 1. El borde izquierdo de la costura quedará muy cerca de las puntadas hechas en el paso 2.

5 Tirar de todos los hilos hacia el revés. Enhebrarlos en una aguja de coser a mano y pasarlos por entre unas puntadas del ojal para afianzarlos. Seguir los pasos 4-5 de Ojales automáticos para abrir el ojal.

Derecha: dos ojales automáticos (arriba), uno de ellos con botón, y dos ojales manuales (abajo), uno de ellos con botón.

Ojal integrado en una costura

Es esencialmente una abertura en una costura en la que abrocha un botón, y es ridículamente fácil de hacer. Las piezas de tela fina para estabilizar deben cumplir los mismos requisitos de lavado que la tela principal.

Consultar:

Puntos, página 23

Cómo se cose a máquina,
    página 21

Prender, página 24

Planchado, páginas 26-27

Costuras en línea recta, página 30

Empezar y terminar una costura,
    página 31

Rematar bordes, página 32

Costuras abiertas, página 34

Utilizar preferentemente para:

Ojales en costuras

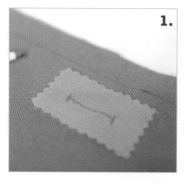

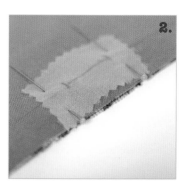

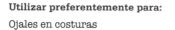

Arriba: dos ojales integrados en una costura, uno de ellos con botón.

1 Con tijeras de piquillo, cortar dos trozos de tela muy fina (he utilizado organdí, aunque también sirven gasa y lienzo de algodón), cada uno de 3 cm de ancho y del largo del ojal más 2 cm: son los refuerzos para estabilizar. Marcar el largo del ojal centrado en uno de los trozos. En la tela principal, marcar la línea de costura en la sección en la que vaya a ir el ojal.

2 Colocar el refuerzo marcado sobre la costura donde vaya a ir el ojal. Poner el otro refuerzo en la otra cara de la costura, casando los bordes lo mejor posible (no importa que no estén perfectamente alineados). Prender los refuerzos en su sitio, poniendo los alfileres como si se fuera a coser por encima de ellos (no se va a hacer).

3 Seleccionar en la máquina de coser un punto recto mediano y hacer la costura hasta el primer alfiler. Dar unas puntadas hacia atrás para afianzar la costura. Girar la tela y coser el resto de la costura desde el otro extremo hasta el otro alfiler, con unas puntadas hacia atrás como antes.

4 Planchar la costura abierta y rematar los cantos de los márgenes.

Tiras para atar

Esta técnica sirve para confeccionar tiras de cualquier ancho y largo para hacer asas de bolsos, cinturones, tirantes de vestidos y alzapaños para cortinas, además de lazos.

Consultar:

Puntos, página 23

Cómo se cose a máquina, página 21

Prender, página 24

Planchado, páginas 26-27

Costuras en línea recta, página 30

Empezar y terminar una costura, página 31

Esquina cuadrada saliente, página 67

Utilizar preferentemente para:

Tirantes y cinturones de cualquier ancho y largo

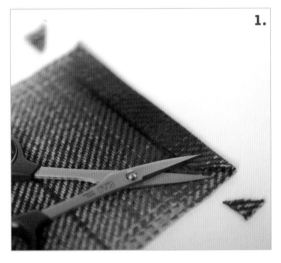

1.

2.

3.

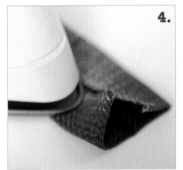

4.

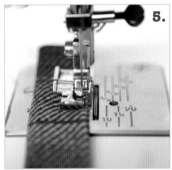

5.

1 Cortar en el sentido del hilo una tira de tela, de un ancho cuatro veces superior al de la tira terminada y del largo de la tira más 2 cm. En cada extremo corto, planchar hacia dentro 1 cm. Con tijeras pequeñas y finas, recortar las esquinas de los bordes doblados, como en la fotografía.

2 Poniendo revés con revés, doblar la tira por la mitad a lo largo y planchar el doblez.

3 Abrir la tira. Doblar hasta el centro uno de los cantos y planchar el doblez a lo largo.

4 Doblar hacia el centro y planchar el otro canto. Doblar toda la tira por la línea central planchada en el paso 2 y plancharla entera.

5 Seleccionar en la máquina un punto recto mediano y poner el prensatelas para cremalleras. En un extremo de la tira, colocar la tela con el borde del prensatelas contra el borde abierto de la tira, de modo que la aguja empiece a coser cerca del borde. Se puede comprobar si está correctamente colocada girando la rueda manual para bajar la aguja hasta que toque la tela. Hacer una costura sobrecargada a lo largo del borde, dando unas puntadas hacia atrás en cada extremo para afianzar la costura. Si los extremos de la tira van a quedar escondidos en una costura, no hay necesidad de hacer una costura atravesada. Si se van a ver, empezar a coser en el borde doblado de un lado corto y hacer la costura hasta cerca del borde abierto, bajar la aguja para que quede clavada en la tela y girar la tira antes de hacer la costura sobrecargada en el borde abierto. Repetir haciendo una costura en el otro lado corto de la tira.

Derecha: tira para atar.

Presillas de rulo

Estas bonitas presillas para abrochar suelen utilizarse en trajes de novia y vestidos de noche, aunque quedan bien en cualquier prenda a la que se desee dar un toque femenino. Cada presilla debe ser lo bastante grande para permitir el paso del botón más 3 cm, por lo que se aconseja probar antes de cortarla. Las presillas se cosen en una costura entre la tela principal y la vista, y en general conviene utilizar entretela termoadhesiva para reforzar la vista.

1.

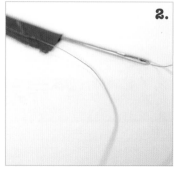
2.

3.

Consultar:

Utilizar preferentemente para:

Cierres delicados

Telas finas e intermedias

1 Cortar una tira de tela al bies de 2 cm de ancho y de largo suficiente para hacer todas las presillas necesarias. Poniendo derecho con derecho, doblar la tira a lo largo. Seleccionar en la máquina un punto recto mediano y ponerle un prensatelas para patchwork. En un extremo de la tira, colocar la tira con el borde del prensatelas contra el borde abierto de la tira y hacer la costura. Cortar los hilos dejando unos cabos de 15 cm.

2 Enhebrar uno de los cabos en una aguja de tapicería de punta roma. Pasar la aguja por dentro del tubo de tela, desplazándola hasta que asome por el otro extremo.

3 Tirar de la hebra, forzando el extremo de la tela unido a la hebra para volverlo y que pase por el tubo. Seguir tirando con cuidado (no hay que romper el hilo) para volver del derecho todo el tubo.

4 Cortar los trozos de tubo del largo que se desee. Doblarlos por la mitad y plancharlos para aplastarlos; la punta doblada debe quedar como en la fotografía.

5 Prender cada presilla en su sitio por el derecho de la labor, casando las puntas de la presilla con el canto de la tela. Hilvanar las presillas en su sitio.

4.

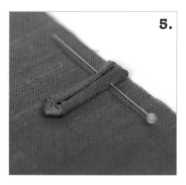
5.

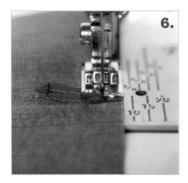

10 Colocar la tela bajo la aguja con el prensatelas encima de los márgenes de costura y el borde de él contra la línea de costura. Coser la vista con los márgenes de costura.

11 Poniendo revés con revés, doblar la tela y la vista por la costura, de modo que sobresalgan las presillas. Planchar la costura doblada.

Coser la tira al bies

Si no se dispone de prensatelas para patchwork de 5 mm, cortar la tira un poco más ancha y hacer la costura con un prensatelas normal para costura recta. El principio es que la costura quede más o menos en el centro de la tira doblada.

---

6 Poner un prensatelas de costura recta. Colocar la tela bajo la aguja con el borde del prensatelas contra el canto de la tela y coser a máquina por encima de las puntas de cada presilla. Comprobar que las presillas quedan perpendiculares al canto de la tela.

7 Poniendo derecho con derecho, colocar la vista encima de la tela principal, casando los cantos. Prender las capas e hilvanarlas si fuera necesario.

8 Dejando un margen de costura de 1,5 cm, coser a máquina la vista con la tela principal. Quitar todos los hilvanes.

9 Planchar los márgenes de costura hacia la vista.

Derecha: presillas de rulo, dos con botones y dos sin ellos.

Esquinas y curvas

Volver una esquina y coser en curvas suaves son técnicas que se van a utilizar en toda clase de proyectos, desde camisas hasta sábanas. Bien hechas, estas técnicas permiten lograr un acabado profesional en las labores y no son difíciles de dominar.

Esquina cuadrada entrante

Este tipo de esquinas se suele encontrar en un escote cuadrado, con una vista cosida a la tela principal. La esquina debe quedar perfectamente aplastada y lisa para que el escote siente bien. El mismo principio se puede aplicar para coser esquinas más cerradas o más abiertas.

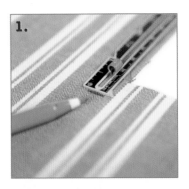

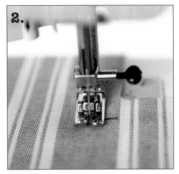

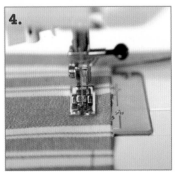

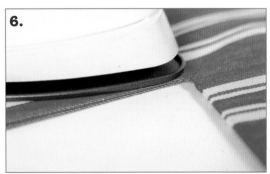

Consultar:

Puntos, página 23

Cómo se cose a máquina,
    página 21

Prender, página 24

Planchado, páginas 26-27

Costuras en línea recta, página 30

Empezar y terminar una costura,
    página 31

Utilizar preferentemente para:

Telas finas e intermedias

1 En el primer lado que se vaya a coser, marcar el final de la costura, a 1,5 cm por fuera de la esquina. Prender las capas de tela derecho con derecho.

2 Seleccionar en la máquina de coser un punto recto mediano. Coser a máquina el primer lado de la esquina, parando en la línea marcada, con la aguja clavada en la tela.

3 Levantar el prensatelas y pivotar la tela sobre la aguja hasta que quede en posición correcta para coser el otro lado.

4 Hacer a máquina la costura del otro lado de la esquina.

5 Con cuidado, dar un corte en los márgenes de costura en la esquina. Con la punta de unas tijeras pequeñas, cortar hasta unos 3 mm de la costura.

6 Volver la esquina del derecho. Darle forma con cuidado y plancharla bien.

Izquierda: esquina cuadrada entrante.

Esquina cuadrada saliente

Esta técnica se utiliza en las esquinas de los almohadones y de los bolsos. El mismo principio se aplica, aquí también, a esquinas más o menos abiertas, aunque las puntas finas requieren un tratamiento distinto (página 70).

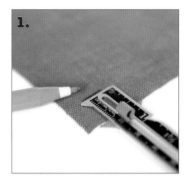

Consultar:

Puntos, página 23

Cómo se cose a máquina,
    página 21

Prender, página 24

Planchado, páginas 26-27

Costuras en línea recta, página 30

Empezar y terminar una costura,
    página 31

Esquina cuadrada entrante,
    página 66

Utilizar preferentemente para:

Telas finas e intermedias

Volver una esquina

Al volver la pieza del derecho, hay que resistirse a la tentación de usar una aguja de hacer punto para empujar la esquina. Se corre el peligro de perforar la esquina o de deformarla sin posibilidad de corregirla. Utilizar en cambio la punta de una regla, mejor si es de plástico o de madera.

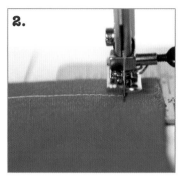

1 En el primer lado que se vaya a coser, marcar el final de la costura, a 1,5 cm del canto. Prender las capas de tela derecho con derecho.

2 Seleccionar en la máquina un punto recto mediano. Hacer la primera costura, levantar el prensatelas y pivotar la tela como en el paso 3 de Esquina cuadrada entrante (página 66). Hacer la costura del otro lado de la esquina.

3 Cortar el margen de costura a un lado de la esquina. Empezando a unos 5 cm de la esquina, cortar en diagonal hasta unos 3 mm de la costura.

4 Cortar igual el margen de costura del otro lado de la esquina. Volver la esquina del derecho. Darle forma con cuidado y plancharla bien.

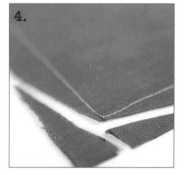

Derecha: esquina cuadrada saliente.

Curva hacia dentro

Las costuras en curva se dan en muchos proyectos y merece la pena aprender a manejar las distintas curvas para que queden bonitas. En las curvas hacia dentro se deben dar unos cortes en el margen de costura para que queden lisas por el interior de la curva.

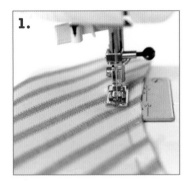

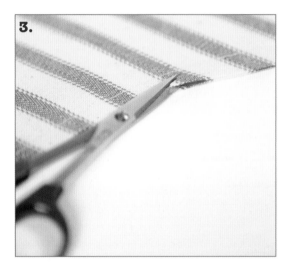

Consultar:

Puntos, página 23

Cómo se cose a máquina,
      página 21

Prender, página 24

Planchado, páginas 26-27

Costuras en línea recta, página 30

Empezar y terminar una costura,
      página 31

Costuras abiertas, página 34

Utilizar preferentemente para:

Todas las telas

1 Prender las capas de tela derecho con derecho. Seleccionar en la máquina un punto recto mediano y hacer la costura, dejando un margen de 1,5 cm.

2 Recortar los márgenes de costura a más o menos la mitad del ancho original.

3 Cortando en diagonal, dar un corte en uno de los márgenes, hasta unos 3 mm de la costura. Dar así cortes a lo largo de la curva, a unos 2 cm de distancia uno de otro.

4 Dar cortes en el otro margen de igual modo. Hacer los cortes con la misma inclinación y espaciado que antes, pero situándolos entre medias de los cortes del otro margen de costura.

5 Colocar la costura encima del medio queso de sastre y planchar la costura abierta. Volver la tela del derecho y planchar la costura aplastándola.

Izquierda: curva hacia dentro.

Curva hacia fuera

En esta curva hay que quitar volumen a los márgenes de costura, para lo que se cortan picos, evitando así que se formen bultos en las costuras.

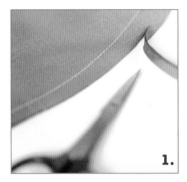

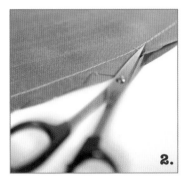

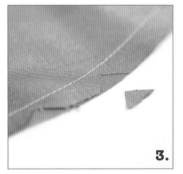

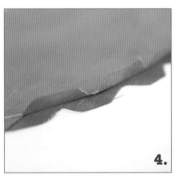

Consultar:

Puntos, página 23

Cómo se cose a máquina, página 21

Prender, página 24

Planchado, páginas 26-27

Costuras en línea recta, página 30

Empezar y terminar una costura, página 31

Costuras abiertas, página 34

Curva hacia dentro, página 68

Utilizar preferentemente para:

Todas las telas

1 Seguir los pasos 1-2 de la Curva hacia dentro para hacer la costura y recortar los márgenes.

2 En uno de los márgenes, dar un corte en diagonal hasta unos 3 mm de la costura.

3 Dar ahora un corte en dirección contraria, hasta la punta del otro corte, para quitar un pequeño triángulo de tela. Hacer muescas con ésta a lo largo de la curva, a unos 2 cm una de otra.

4 Cortar muescas en el otro margen de costura alternándolas con las del primero, de modo que queden entre medias de ellas.

5 Volver la tela del derecho por la costura y plancharla con los dedos para que la costura quede en el borde de la curva. Plancharla para aplastarla.

Derecha: curva hacia fuera.

Curvas cerradas

En caso de curvas cerradas, a veces no se puede girar la tela debajo del prensatelas. Con la aguja clavada, levantar el prensatelas a intervalos regulares y girar un poquito la tela, como para una esquina cuadrada.

Ondas

Las ondas son una mezcla de esquinas entrantes y de curvas hacia fuera y por eso requieren una combinación de las dos técnicas para que queden perfectas.

Consultar:

Puntos, página 23

Cómo se cose a máquina, página 21

Prender, página 24

Planchado, páginas 26-27

Empezar y terminar una costura, página 31

Esquina cuadrada entrante, página 66

Curva hacia fuera, página 69

Utilizar preferentemente para:

Telas finas e intermedias

Arriba: borde a ondas.

1 Prender dos piezas de tela derecho con derecho. Dibujar las ondas en una de ellas —este dibujo se hizo trazando el contorno de un plato, solapando las curvas—. Seleccionar en la máquina un punto recto mediano y coser por las líneas. Levantar el prensatelas y pivotar la tela en las esquinas entrantes.

2 Recortar las ondas a 1 cm por fuera de la costura.

3 Dar un corte en las esquinas entrantes. Cortar muescas en las curvas hacia fuera. Volver las ondas del derecho y repasarlas con los dedos, dándoles forma. Planchar la costura.

Puntas

Son esquinas salientes en ángulo cerrado, pero requieren un tratamiento un poco especial para que queden bien.

Consultar:

Puntos, página 23

Cómo se cose a máquina, página 21

Prender, página 24

Planchado, páginas 26-27

Empezar y terminar una costura, página 31

Esquina cuadrada saliente, página 67

Utilizar preferentemente para:

Telas finas e intermedias

Arriba: una punta.

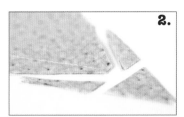

1 Seguir el paso 1 de la Esquina cuadrada saliente (página 67) para marcar el final de la costura y coser el primer lado. Levantar el prensatelas y girar la tela para dar una puntada atravesada en el extremo de la punta. Girar de nuevo la tela para coser el otro lado de la esquina.

2 Recortar los márgenes de costura como en la fotografía. Cortar la punta a unos 3 mm de la costura y luego recortar cada lado en diagonal, siguiendo los pasos 3-4 de la Esquina cuadrada saliente.

Pinzas

Son pequeños pliegues en pico que dan forma a la tela para ajustarla a las curvas del cuerpo. Unas pinzas bien hechas marcan la diferencia en una prenda de vestir.

Utilizar preferentemente para:

Todas las telas

1.

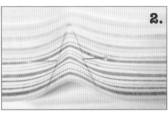

2.

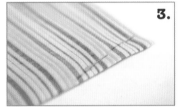

3.

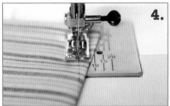

4.

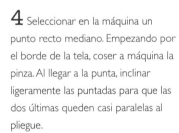

5.

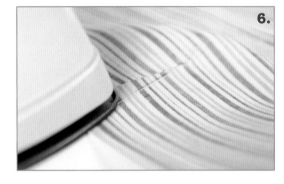

6.

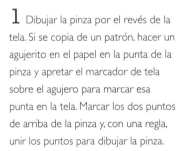

1 Dibujar la pinza por el revés de la tela. Si se copia de un patrón, hacer un agujerito en el papel en la punta de la pinza y apretar el marcador de tela sobre el agujero para marcar esa punta en la tela. Marcar los dos puntos de arriba de la pinza y, con una regla, unir los puntos para dibujar la pinza.

2 Pinchar un alfiler sobre la línea de un lado de la pinza y sacarlo por la otra línea, asegurándose de que el alfiler quede derecho.

3 Empujar las capas de tela sobre el alfiler y luego prender a lo largo de las líneas, con la cabeza del alfiler hacia la punta de la pinza. Si la tela se escurre o es difícil de coser, se hilvana justo por fuera de las líneas marcadas.

4 Seleccionar en la máquina un punto recto mediano. Empezando por el borde de la tela, coser a máquina la pinza. Al llegar a la punta, inclinar ligeramente las puntadas para que las dos últimas queden casi paralelas al pliegue.

5 Tirar de las dos hebras hacia un lado y anudarlas apretando el nudo para afianzar la costura. Quitar los hilvanes que haya.

6 Planchar la pinza aplastada y luego hacia un lado. Si es una pinza de cintura, se plancha hacia la costura del costado, pero si es de pecho, se plancha hacia abajo. Si la pinza es muy ancha o la tela muy gruesa, se recorta parte de la tela por dentro de la pinza, dejando unos márgenes de costura de 1 cm.

Abajo: una pinza.

Bordes

Los ribetes y galones cumplen una función práctica y estética, lo que los convierte en soluciones magníficas para toda clase de ideas en la labor. Se ribetea un canto para reducir volumen y añadir un bonito detalle de acabado al mismo tiempo, o se incrusta un galón en una costura para lograr un toque de alta costura.

Hacer una tira al bies para ribetear

Se puede comprar un bies ya hecho, pero estos galones solamente existen en colores limitados. Si se hace un bies propio, y es fácil hacerlo, se puede coordinar o contrastar con la labor para lograr un ribete tan bello como práctico. Se necesita un accesorio para doblar un bies, pero se compra en la mercería y es barato. Para cortar el paralelogramo inicial existen varios métodos; éste que propongo consume mucha tela, pero es el que menos costuras lleva y por eso lo prefiero.

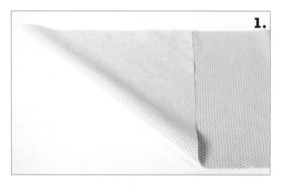
1.

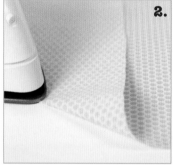
2.

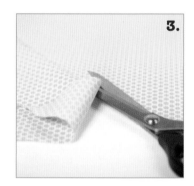
3.

Al bies y al hilo de la tela

Las telas se tejen con dos hilos, el de trama y el de urdimbre, que se cruzan en ángulo recto. Si la tela se corta siguiendo uno de esos hilos, se dice que se corta "al hilo". Si se corta en diagonal, entonces se corta "al bies". La tela cortada al bies cede, es más elástica, se ajusta mejor y se deshila menos que la cortada al hilo.

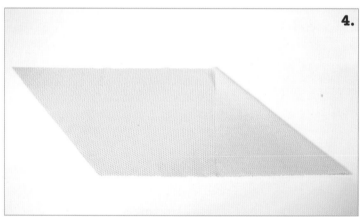
4.

Consultar:

Puntos, página 23

Cómo se cose a máquina, página 21

Prender, página 24

Planchado, páginas 26-27

Costuras en línea recta, página 30

Empezar y terminar una costura, página 31

Costuras abiertas, página 34

Utilizar preferentemente para:

Telas finas e intermedias

Tejidos

Hacer la tira al bies

1 Cortar un rectángulo de tela al hilo; colocarlo con el derecho hacia arriba y alisarlo. Doblar un lado corto hasta casarlo con el borde largo de arriba. Se ve un triángulo del revés, como en la fotografía.

2 Planchar el doblez diagonal.

3 Abrir la tela y cortar por la marca de la plancha para sacar un triángulo de tela.

4 Repetir los pasos 1-3 doblando, planchando y cortando un triángulo al otro lado del rectángulo, doblándolo de modo que la línea marcada con la plancha quede en la misma dirección que la primera, formando un paralelogramo. Los extremos en diagonal están al bies.

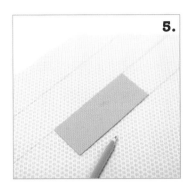

5.

6.

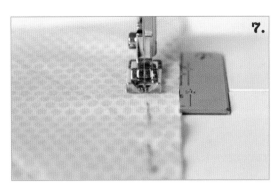

7.

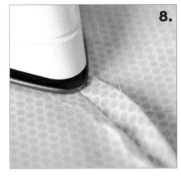

8.

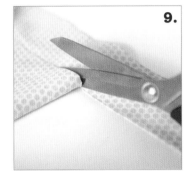

9.

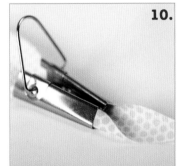

10.

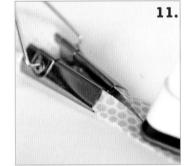

11.

5 Cortar una plantilla de cartón del ancho necesario para hacer el bies. En el embalaje del accesorio para doblar un bies se indican los anchos. Por el revés de la tela, colocar la plantilla contra uno de los bordes en diagonal y dibujar una línea al otro lado de la plantilla, paralela a la diagonal. Luego colocar la plantilla contra esa línea y dibujar una segunda línea como antes. Seguir trazando líneas por la tela hasta llegar al otro borde en diagonal, cortando el sobrante por la última línea dibujada.

6 Poniendo derecho con derecho, casar los dos bordes rectos de la tela. En un extremo diagonal, casar el borde al bies con la primera línea dibujada, desmintiendo de una fila todas las líneas. Prender los bordes rectos para formar un tubo.

7 Seleccionar en la máquina un punto recto mediano y hacer a máquina la costura prendida, dejando un margen de 1,5 cm.

8 Planchar la costura abierta. Se obtiene un tubo de tela con una línea continua dibujada en espiral alrededor de él.

9 Empezando en un extremo, cortar por la línea dibujada para obtener una tira continua al bies.

Hacer el ribete

10 Introducir una punta de la tira al bies en el accesorio para doblar el bies y tirar de ella por el otro lado.

11 Tirar despacio del accesorio hacia atrás de la tira, planchando los dobleces aplastados conforme salen del aparato.

Derecha: ribete al bies hecho a mano.

Ribete al bies decorativo

Para sacar el máximo partido al ribete al bies, se aplica para que quede visible. Ribetear así los bordes significa que no se hace jaretón, lo que es una solución para telas rígidas o gruesas. También es un buen acabado para telas transparentes porque evita problemas de dobladillos y les da un poco de peso, lo que les proporciona una mejor caída.

 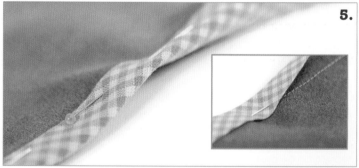

Consultar:

Puntos, página 23

Cómo se cose a máquina, página 21

Prender, página 24

Hilvanar, página 25

Planchado, páginas 26-27

Costuras en línea recta, página 30

Empezar y terminar una costura, página 31

Utilizar preferentemente para:

Bordes rectos y en curva

Ribetes de telas finas e intermedias

Ribetear todas las telas

1 Abrir un borde doblado del bies. Poniendo derecho con derecho, prender el bies sobre la tela, casando los cantos cortados.

Izquierda: ribeteado con un bies decorativo por el derecho de la labor (arriba) y por el revés (abajo).

2 Hilvanar el bies en su sitio, cosiéndolo por un lado del doblez (ver Evitar marcas de alfiler, página 77).

3 Seleccionar en la máquina un punto recto mediano. Colocar la tela en la máquina de modo que la aguja empiece a coser sobre el doblez del bies abierto. Se puede comprobar si está bien colocado girando la rueda manual para bajar la aguja hasta que toque la tela. Hacer una costura a lo largo del doblez, dando unas puntadas hacia atrás en cada extremo para reforzar.

4 Quitar los hilvanes y planchar la costura a máquina para aplastarla. Doblar el bies sobre la costura de modo que quede por el derecho cubriendo el canto de la tela. Planchar el ribete aplastándolo.

5 Doblar el ribete por encima del canto de la tela y hacia el revés. El borde libre del ribete debe tapar justo la costura que se ve por el revés (ver la foto pequeña). Por el derecho, prender el ribete en su sitio.

6 Colocar la tela en la máquina de modo que la aguja empiece a coser precisamente a lo largo de la costura entre el ribete y la tela principal. Es lo que se llama "coser sobre costura". Coser el ribete a la tela, dando unas puntadas hacia atrás en los extremos.

Ribete al bies escondido

Con este método de ribetear un borde, el bies no queda visible, aunque sí la costura final. Está indicado para telas gruesas, porque se evita el dobladillo, pero no es bueno para telas transparentes porque resulta raro. Se puede hacer un bies o, como no se va a ver, se puede utilizar uno comprado, como aquí.

Consultar:

Puntos, página 23

Cómo se cose a máquina, página 21

Prender, página 24

Hilvanar, página 25

Planchado, páginas 26-27

Costuras en línea recta, página 30

Empezar y terminar una costura, página 31

Ribete al bies decorativo, página 76

Utilizar preferentemente para:

Bordes rectos y en curva

Ribetes de telas finas e intermedias

Cantos de todas las telas menos las transparentes

Evitar marcas de alfiler

Si en la tela y el ribete no quedan marcas al poner y quitar alfileres, se prende y se hilvana el ribete en su sitio a lo largo del centro. Si quedan agujeros, prender e hilvanar a lo largo del borde abierto del ribete, como en la página 76.

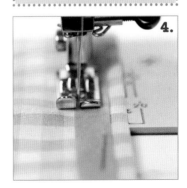

1 Seguir los pasos 1-4 de Ribete al bies decorativo para coser un lado del ribete en su sitio y plancharlo sobre el canto de la tela.

2 Doblar todo el ancho del ribete hacia el revés de la tela, doblando también un poco de la tela. La cantidad de tela que se doble puede ser mucha o poca, según se necesite: aquí se ha doblado lo suficiente para que el dibujo de cuadritos quede bonito por el derecho. Por el revés, prender el ribete en su sitio.

3 Planchar el doblez de la tela, evitando planchar sobre los alfileres.

4 Colocar la tela en la máquina de coser de forma que la aguja empiece a coser junto al borde libre del ribete. Coser el ribete a máquina, dando unas puntadas hacia atrás en cada extremo para afianzar la costura.

Derecha: ribete al bies escondido por el derecho de la labor (arriba) y por el revés (abajo).

Coser un ribete al bies con zigzag

Es una técnica de ribeteado rápida y fácil, pero no queda bonita y se debe reservar para rematar cantos que no se vean pero que requieran un buen acabado. Como no hay necesidad de hacer dobladillo, está indicada para telas gruesas.

Consultar:

Puntos, página 23

Cómo se cose a máquina,
    página 21

Prender, página 24

Hilvanar, página 25

Planchado, páginas 26-27

Costuras en línea recta, página 30

Empezar y terminar una costura,
    página 31

Rematar bordes, página 32

Utilizar preferentemente para:

Bordes rectos y en curva

Bordes escondidos

Ribetes de tela fina e intermedia

Cantos de todas las telas

Izquierda: el ribete al bies con zigzag se ve igual por las dos caras.

1 Doblar con cuidado el ribete al bies por la mitad y plancharlo.

2 Pasar el ribete doblado sobre el canto de la tela, encerrándolo totalmente. Prender el ribete en su sitio.

3 Como es un ribete estrecho, conviene hilvanarlo, sobre todo si la tela se escurre.

4 Seleccionar en la máquina un zigzag mediano. Se puede coser el ribete en su sitio de dos maneras: dependiendo de cómo se desee que quede y de lo que resulte más fácil. Girar la rueda manual hasta que la

aguja quede lo más a la derecha posible. Colocar la tela en la máquina de modo que la aguja empiece a coser sobre el ribete, junto al borde. Al desplazarse la aguja hacia la izquierda, coserá también la tela, de modo que el zigzag cubrirá la unión entre el ribete y la tela. Este método es el utilizado en la muestra de la izquierda.

Para el otro método, ajustar la máquina igual, pero colocar la tela de modo que la aguja baje a la derecha cerca del borde exterior del ribete. Al bajar a la izquierda, quedará cerca del borde que monta sobre la tela, de modo que el zigzag quedará todo él sobre el ribete al bies.

Quitar los hilvanes.

Dar forma al bies

El ribete al bies se puede utilizar en bordes perfectamente rectos o en curva cerrada. Ahora bien, si se va a ribetear un borde en curva, conviene dar forma antes al bies. No hay que reproducir exactamente con el bies la forma de la curva que se va a ribetear, pero cuanto más se le parezca, mejor.

Consultar:

Puntos, página 23

Cómo se cose a máquina, página 21

Planchado, páginas 26-27

Costuras en línea recta, página 30

Ribete al bies decorativo, página 76

Ribete al bies escondido, página 77

Coser un ribete al bies con zigzag,
   página 78

Utilizar preferentemente para:

Bordes en curva

Ribetes de tela fina e intermedia

Si el ribete va a cubrir un canto, como en Ribete al bies decorativo o en Coser un ribete con zigzag, se dobla el ribete por la mitad. En el caso de Ribete al bies escondido, se pone abierto como aquí. Planchar el ribete empezando por un extremo y sacarlo por debajo de la plancha, tirando de él en redondo para darle forma curva. Lo cerrada que quede la curva dependerá de lo apretado que quede el redondel formado.

Derecha: ribete al bies en forma de curva.

Ribete recto

Si el borde que se va a ribetear es recto, sin asomo de curva, el ribete se puede hacer al hilo de la tela, en lugar de al bies. Es más fácil y basta con cortar tiras de tela en lugar de cortar un paralelogramo al bies, pero las técnicas de cosido son exactamente las mismas para los dos.

Consultar:

Puntos, página 23

Cómo se cose a máquina, página 21

Planchado, páginas 26-27

Costuras en línea recta, página 30

Hacer una tira al bies para
   ribetear, páginas 74-75

Ribete al bies decorativo,
   página 76

Ribete al bies escondido, página 77

Coser un ribete al bies con zigzag,
   página 78

Utilizar preferentemente para:

Bordes rectos

Ribetes de telas finas e
   intermedias

Cantos de todas las telas

Derecha: borde con un ribete recto, utilizando la técnica del Ribete al bies decorativo.

Ribetear una esquina

No es difícil utilizar un ribete al bies para rematar una esquina cuadrada, siempre que se cosa, se mida y se doble debidamente. Es un buen acabado para mantelitos individuales de tela gruesa, resistente al calor.

Consultar:

Utilizar preferentemente para:

Esquinas cuadradas

Ribete de tela fina e intermedia

Cantos de todas las telas

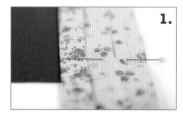

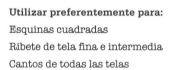

1 Seguir los pasos 1-2 de Ribete al bies decorativo para hilvanar el ribete en su sitio por un lado de la esquina. Medir la mitad del ancho doblado del ribete desde la esquina y poner un alfiler de señal. Colocar la tela en la máquina de coser de modo que la aguja empiece a coser exactamente en el doblez abierto del ribete. Hacer una costura sobre el doblez hasta el alfiler, dando unas puntadas hacia atrás en los extremos para afianzar la costura.

2 Quitar el alfiler y doblar el ribete hacia arriba, de modo que el doblez quede en diagonal sobre la esquina.

3 Colocar una regla sobre el borde del ribete cosido, casándola con el canto de la tela y el borde del ribete. Doblar el ribete por encima de la regla de modo que el borde abierto coincida con el canto de la tela en el segundo lado de la esquina. Prender ese borde en su sitio.

4 Empezando arriba del todo, en el borde doblado por encima, coser el ribete a la tela por el segundo lado. Coser sobre el doblez como antes.

5 Volver el ribete hacia el derecho, por encima de la esquina de la tela. Se debe poder doblar con facilidad y apenas habrá que rectificar para que quede a escuadra.

6 Por el revés, doblar el ribete por encima de la tela para tapar las costuras visibles y colocar la esquina lo más limpia posible. Seguir el paso 6 de Ribete al bies decorativo para terminar el ribete, girando la tela en torno a la aguja en las esquinas.

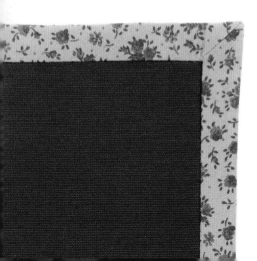

Izquierda: esquina ribeteada.

Vivos

El vivo se integra en una costura y a veces se considera pasado de moda, pero eso sólo es cierto si la labor y la tela son anticuadas. El vivo se utiliza para resaltar un contorno, una forma —en un color vistoso para que destaque— o en una tela con dibujito para añadir un detalle en una labor demasiado uniforme.

Consultar:

Puntos, página 23

Cómo se cose a máquina,
    página 21

Prender, página 24

Hilvanar, página 25

Planchado, páginas 26-27

Costuras en línea recta, página 30

Empezar y terminar una costura,
    página 31

Costuras abiertas, página 34

Hacer una tira al bies para
    ribetear, páginas 74-75

Utilizar preferentemente para:

Bordes y costuras rectos o en
    curva

Vivos de telas finas e intermedias

Cantos de todas las telas

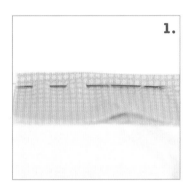

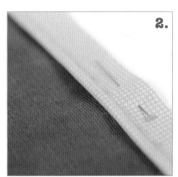

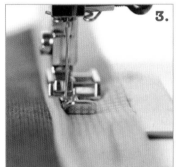

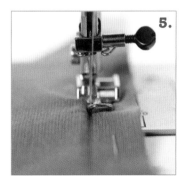

1 Hacer una tira al bies lo bastante ancha para envolver un cordón de vivear más 3 cm. Poniendo el derecho hacia fuera, envolver el cordón, casando los cantos del bies y dejando un cabo del cordón asomando por cada extremo. Hilvanar las capas de tela, cerca del vivo, pero no pegando a él. Obsérvese que esta tela lleva cuadritos en diagonal, por lo que al cortarla al bies los cuadritos quedan rectos.

2 Poner el vivo sobre el derecho de la pieza de tela, casando los cantos. Prender el vivo en su sitio.

3 Seleccionar en la máquina un punto recto mediano y poner un prensatelas para cremallera. Colocar la tela en la máquina, con el borde del prensatelas contra el cordón. Coser a máquina el vivo en su sitio, dando unas puntadas hacia atrás en los extremos para afianzar la costura.

4 Colocar la pieza con el vivo sobre la otra pieza, casando los cantos. Prender las dos capas unidas.

5 Coser como en el paso 3, apretando el prensatelas lo más posible contra el cordón para que esta segunda costura quede un poquito más próxima al cordón que la anterior. (Si se ve la primera costura, el vivo no queda muy profesional).

Derecha: el vivo se puede coser en una costura de borde (arriba) o en una costura abierta, dentro de la labor (abajo).

Galón integrado en una costura

Incluir un galón decorativo en una costura es una manera fácil y espléndida de añadir un detalle decorativo a una labor sencilla. Se necesita un galón adecuado a la labor —con un borde aplastado y estable que se pueda integrar en la costura— y existen centenares de ellos.

 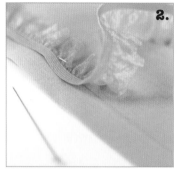 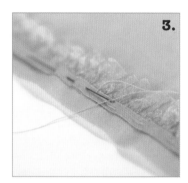

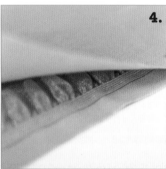 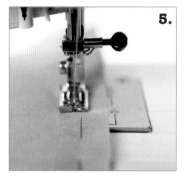 

Consultar:

Puntos, página 23

Cómo se cose a máquina,
    página 21

Prender, página 24

Hilvanar, página 25

Planchado, páginas 26-27

Costuras en línea recta, página 30

Empezar y terminar una costura,
    página 31

Costuras abiertas, página 34

Utilizar preferentemente para:

Bordes y costuras rectos o en
    curva

Cantos de todas las telas

Izquierda: el galón se puede integrar en una costura de borde (arriba) o en una costura abierta dentro de una labor (abajo).

1 Con un marcador para tela y un calibre de costura para medir con exactitud, marcar un margen de costura de 1,5 cm en una de las piezas de tela.

2 Prender el galón sobre el derecho de la tela, poniendo el borde liso justo encima de la línea marcada, hacia el canto de la tela.

3 Hilvanar el galón, cosiéndolo por el borde liso. Cuando esté hilvanado, doblar el margen de costura hacia el revés para comprobar que no sobresale la parte lisa del galón por fuera de la línea.

4 Poner la otra pieza de tela con el derecho hacia abajo encima de la pieza con galón, casando los cantos. Prender las dos capas.

5 Seleccionar en la máquina un punto recto mediano. Hacer la costura, dejando un margen exacto de 1,5 cm.

6 Si el galón va a sobresalir por una costura de borde, doblar la tela por la costura y, con mucho cuidado, planchar el doblez para no aplastar el galón.

Galones de borde

Lo mismo que hay galones diseñados para quedar integrados en una costura, otros muchos, de distinto tipo y estilo, van muy bien en el borde de una labor. Aquí se proponen unos cuantos ejemplos indicando el mejor modo de coserlos.

Consultar:

Puntos, página 23

Cómo se cose a máquina, página 21

Prender, página 24

Hilvanar, página 25

Planchado, páginas 26-27

Costuras en línea recta, página 30

Empezar y terminar una costura, página 31

Utilizar preferentemente para:

Bordes y costuras rectos y en curva

Cantos de todas las telas

Elección de los galones

Se deben tener en cuenta ciertos aspectos a la hora de elegir un galón para una labor. El galón y la tela deben poderse lavar igual: un galón que sólo admite limpieza en seco no es adecuado para una tela de algodón. Además el galón no será excesivamente grueso para la labor, porque la tela no tendría buena caída. Un poco de peso sí conviene, pero un galón de pasamanería, con cuentas, no va bien con una tela vaporosa.

Pensar cómo se va a poner el galón antes de coserlo a máquina por el centro. Este galón lleva una costura sujetando el volante a la cinta de terciopelo, por lo que lo mejor es hacer una costura al otro lado de la cinta. Una costura mal colocada puede echar a perder el galón; algunos quedan mejor si se cosen a mano con puntadas pequeñas.

Algunos galones que no están pensados para quedar integrados en una costura, quedan bien si se cosen así. En este ejemplo el piquillo se ha integrado en una costura de borde, y forma unas ondas delicadas.

La línea de costura visible para hacer un jaretón puede distraer la vista de un galón bonito, pero eso no ocurre si el jaretón lleva una vista. Este galón de margaritas está cosido la mitad sobre la tela y la mitad al aire. Una costura junto al borde de la tela sujeta el galón y sobrecarga la vista al mismo tiempo, evitando que se rice hacia fuera.

Un borde con dobladillo estrecho queda realzado con un galón plano que tenga al menos un borde adornado que sobresalga por el borde de la tela. Hacer una costura a máquina que sujete el galón en su sitio y el dobladillo al mismo tiempo. Hacer primero una muestra porque un dobladillo con un galón encima puede quedar demasiado voluminoso.

Adornos

Con la máquina de coser se pueden aplicar detalles decorativos llenos de encanto, que aporten glamour a la labor más sencilla. Ninguna de estas técnicas es difícil de dominar, aunque existe una mayor selección de adornos que se pueden hacer con técnicas puramente prácticas.

Volante fruncido

Es un detalle fácil de hacer, femenino y muy vistoso en prendas de señora y de niña. Unos volantes de algodón fuerte tienen un encantador aire retro, y si son de organdí, resultan maravillosamente románticos.

Arriba: volante fruncido integrado en una costura de borde.

¿Cuánto fruncido?

Antes de hacer kilómetros de frunces para una labor, hay que preparar algunas muestras para ver cómo queda la tela fruncida y determinar cuánto hay que fruncirla. Si se utiliza el doble de tela que el largo deseado, como aquí, quedan unos frunces suaves en algodón, pero en el caso de telas finas, transparentes, hay que calcular tres veces el largo para que el frunce tenga cuerpo.

Consultar:

Puntos, página 23

Cómo se cose a máquina, página 21

Costuras en línea recta, página 30

Empezar y terminar una costura, página 31

Dobladillo, página 43

Dobladillo estrecho, página 43

Utilizar preferentemente para:

Telas finas e intermedias

1 Cortar una tira de tela de un largo igual al doble del largo deseado para el volante, y del ancho del volante más 2,5 cm: es suficiente para hacer el jaretón e integrar el volante en la costura de arriba. Utilizando o bien la técnica del Dobladillo (si la tela es de algodón) o del Dobladillo estrecho (si es tela transparente o de seda), hacer un dobladillo de 5 mm a lo largo de un borde, que será el bajo del volante. Si los lados cortos se van a ver, también se les hace dobladillo.

2 Seleccionar en la máquina un punto recto largo y aflojar la tensión. Colocar la tela con el derecho hacia arriba, con el borde del prensatelas contra el canto superior de la tira. Hacer una costura a lo largo del canto superior, sin dar puntadas hacia atrás al empezar y terminar la costura.

3 Empezando en un extremo, tirar con cuidado del hilo de la canilla para comenzar a fruncir la tela. Seguir frunciendo, repartiendo los frunces hasta el centro. Cuando se haya

fruncido más o menos la mitad del volante, hacer un nudo en el hilo y empezar a fruncir desde el otro extremo. Tirar y repartir los frunces con cuidado: si se rompe el hilo, hay que volver a empezar. Cuando esté fruncido el volante, anudar los segundos cabos.

4 Seleccionar en la máquina un punto recto mediano y volver a ajustar la tensión para la tela. Dejando un margen de 1 cm, hacer una costura a lo largo de la parte de arriba del volante, cosiendo los frunces para afianzarlos y que no se desplacen. Coser despacio y procurar que no se formen bultos. Dar unas puntadas hacia atrás en los extremos para reforzar.

Pliegues sencillos

Éste es el estilo de pliegues que prefiero porque son rápidos de hacer y quedan bonitos en casi todas partes. Se ponen en la costura de borde de un cojín, en la parte de arriba de un bolso o en el bajo de un vestido —siempre combinan—. Los pliegues quedan mejor si la tela tiene un poco de apresto, porque si no se deshacen y se pierde el efecto.

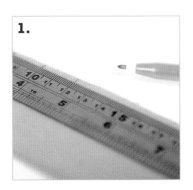

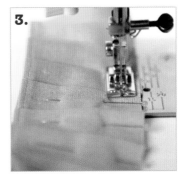

Arriba: pliegues sencillos planchados e integrados en una costura de borde.

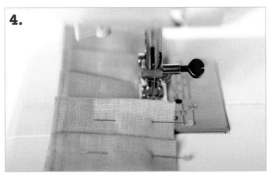

Consultar:

Puntos, página 23

Cómo se cose a máquina, página 21

Prender, página 24

Costuras en línea recta, página 30

Empezar y terminar una costura, página 31

Dobladillo, página 43

Dobladillo estrecho, página 43

Volante fruncido, página 86

Utilizar preferentemente para:

Telas intermedias

1 Seguir el paso 1 de Volante fruncido, pero cortando una tira de un largo triple del deseado. Por el borde superior, medir y marcar los pliegues por el derecho de la labor. Pueden ser de 1,5 cm a 3 cm de ancho: si son más estrechos parecerá un frunce, y si son más anchos, perderán definición. Estos pliegues miden 2 cm de ancho y las marcas se hacen a esa distancia por todo lo alto de la tira.

2 Con el derecho hacia arriba, plegar la tela por el borde marcado. Cada pliegue se realiza sobre tres marcas: se agarra la tela por la primera marca, se dobla por la segunda y se lleva la primera marca por encima hasta la tercera. Repetir con el siguiente grupo de tres marcas. Poner un alfiler vertical en los pliegues conforme se vayan haciendo, con la cabeza contra el borde superior de la tira.

3 Seleccionar en la máquina un punto recto mediano. Dejando un margen de 1 cm, hacer una costura por encima de la parte superior de los pliegues para sujetarlos en su sitio. Coser despacio, quitando los alfileres antes de llegar a ellos, en lugar de coser por encima de ellos. Dar unas puntadas hacia atrás en cada extremo para afianzar la costura. Se pueden planchar los pliegues terminados para definirlos mejor o dejarlos suaves, como se prefiera.

4 Incluso con los pliegues prendidos, es fácil que el prensatelas se deslice por debajo y los levante, por eso hay que vigilar continuamente la costura. Para mayor seguridad, se hilvanan los pliegues con puntadas cortas.

Tablas

Son pliegues algo más complejos, pero resultan muy bonitos y son muy versátiles. Se pueden hacer en una banda estrecha, como aquí, para utilizar como remate, o se pueden incorporar al patrón de una prenda de vestir: para ello hay que tener mucha seguridad en lo que se hace.

Arriba: tablas planchadas e integradas en una costura de borde.

Consultar:

Puntos, página 23

Cómo se cose a máquina, página 21

Prender, página 24

Planchado, páginas 26-27

Costuras en línea recta, página 30

Empezar y terminar una costura, página 31

Dobladillo, página 43

Dobladillo estrecho, página 43

Pliegues sencillos, página 87

Utilizar preferentemente para:

Telas intermedias

1 Seguir el paso 1 de Pliegues sencillos para cortar y hacer el dobladillo de la tira. Las tablas pueden ser de casi cualquier ancho; aquí miden 8 cm. Para las tablas de este ancho, medir y marcar por el revés de la tira 2 cm a partir de un lado corto. Luego alternar marcas a 8 cm y a 4 cm de distancia, terminando con una de 8 cm y una última a 2 cm del final.

2 Con el revés hacia arriba, plegar la tela por el borde marcado. Estas tablas se doblan sobre dos marcas; basta con casar la primera marca con la segunda y poner un alfiler vertical, luego se repite con cada par de marcas. Los alfileres van a servir de guía de la costura, por eso es importante que queden perpendiculares. Para comprobarlo, doblar la tela y poner la cabeza del alfiler donde se tocan dos marcas. Con un calibre de costura medir 4 cm a partir del pliegue y hacer que la punta del alfiler salga en esa medida.

3 Por el derecho, empezando hacia la mitad desde el borde superior de la tira, coser cada tabla. La distancia varía dependiendo del efecto buscado. Si no se está seguro, se hilvanan primero unas tablas para juzgar el efecto. Colocar la tira en la máquina de coser a la distancia que se desee a partir del borde superior, con la aguja alineada con la punta del alfiler. Dar unas puntadas hacia atrás, luego quitar el

alfiler y coser en línea recta hasta las marcas del borde superior de la tira. Dar unas puntadas hacia atrás para reforzar.

4 Colocar la tira tableada con el derecho hacia arriba, de modo que los pliegues cosidos queden hacia quien cose. Pellizcar la parte de arriba de cada pliegue para marcar uno pequeño y aplastar el doblez, casando el pequeño pliegue con la costura de debajo. Poner un alfiler a cada lado de la línea cosida para sujetar la tabla aplastada.

5 Para comprobar que las tablas quedan iguales y cuadradas antes de coserlas en su sitio, planchar el borde inferior de cada una. Rectificar la tela, poniéndole de nuevo los alfileres si hiciera falta, para que cada una quede enfrentada a la siguiente.

6 Seguir el paso 3 de Pliegues sencillos para coser el volante de tablas por el borde superior.

Lorzas

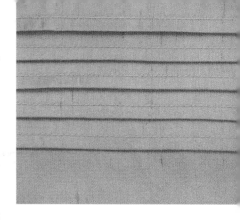

Esta técnica de lorzas o jaretas se puede utilizar en cualquier labor para aportar un aire vintage. Prendas de vestir, bolsos, cojines, chales, ropa de cama… cualquier labor confeccionada con una tela con apresto, fina o intermedia, mejora con unas cuantas lorzas bien hechas. Se pueden hacer en telas transparentes y vaporosas, pero no es tan fácil y yo recomendaría hilvanarlas antes de coserlas a máquina.

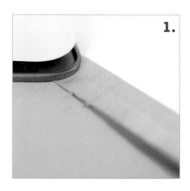

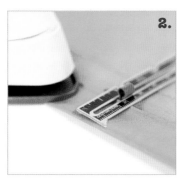

Arriba: *tela de seda con lorzas.*

Consultar:

Puntos, página 23

Cómo se cose a máquina, página 21

Planchado, páginas 26-27

Costuras en línea recta, página 30

Empezar y terminar una costura, página 31

Utilizar preferentemente para:

Telas finas e intermedias

Telas con apresto

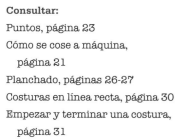

1 Hacer y planchar un pliegue en la tela a 2 cm del borde, comprobando que el pliegue queda paralelo al borde.

2 Abrir el primer pliegue. Con un calibre de costura para medir con precisión, hacer y planchar otro pliegue a 2 cm del primero y paralelo a él. Seguir haciendo pliegues de este modo hasta tener un pliegue por cada lorza que se vaya a hacer.

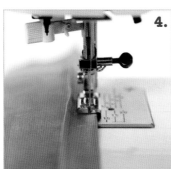

3 Seleccionar en la máquina un punto recto mediano. Empezando por el último pliegue realizado, colocar la tela en la máquina de modo que la aguja empiece a coser muy cerca del borde doblado. No se van a poder utilizar como guía las marcas de la placa, por lo que habrá que guiarse por otra señal en la máquina para alinear con él el borde de la tela: aquí es el borde interno de los dientes de arrastre de la derecha. Hacer la costura a lo largo del pliegue, dando unas puntadas hacia atrás en los extremos.

4 Pasar al siguiente pliegue y repetir el paso 3. Continuar hasta haber cosido todas las lorzas.

5 Planchar las lorzas para aplastarlas, en la dirección que se desee.

Coser una cinta o un galón

Estos remates son magníficos para adornar una labor o personalizar una prenda y no son difíciles de coser, aunque conviene practicar la costura en línea recta.

1 Prender e hilvanar la cinta o galón sobre la tela en la posición que se desee. Prolongar el hilván más allá de los bordes.

2 Seleccionar en la máquina un punto recto mediano. Colocar la tela en la máquina de modo que la aguja empiece a coser junto al borde de la cinta: cuanto más cerca, mejor. No se van a poder utilizar como guía las marcas de la placa, por tanto habrá que poner mucha atención para que la costura quede recta. El truco está en coser despacio y no apartar la vista del borde del prensatelas, no de la aguja, porque su movimiento de arriba abajo puede distraer. Hacer la costura a lo largo de la cinta, dando unas puntadas hacia atrás en los extremos para afianzar.

3 Empezando en el mismo extremo que la línea de costura anterior, coser por el otro borde de la cinta igual que antes. Es importante empezar siempre en el mismo extremo, porque las costuras muy próximas en sentido contrario pueden deformar la tela y la cinta no quedaría lisa.

Arriba: cinta cosida.

Consultar:

Utilizar preferentemente para:
Todas las telas

Coser un piquillo

Es uno de los galones más graciosos y aporta un aire retro a la ropa de niños y mayores.

Consultar:

Utilizar preferentemente para:
Todas las telas

Abajo: piquillo cosido.

1 Prender e hilvanar el piquillo a la tela. Hilvanar por un borde, dando una puntada en cada onda.

2 Seleccionar en la máquina un punto recto mediano. Colocar la tela en la máquina de modo que la aguja empiece a coser a lo largo del centro del piquillo. Comprobar dónde queda un borde del prensatelas respecto al borde a ondas. Empezar a coser muy despacio, manteniendo el borde del

prensatelas en la misma posición respecto a las ondas. Si se intenta mirar dónde cose la aguja, el movimiento de ésta sumado al zigzag de la cinta hará oscilar inmediatamente la costura.

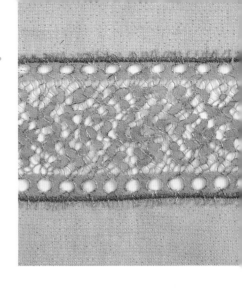

Coser un encaje

El encaje, delicado y romántico, se puede coser en un borde o como incrustación en una tela utilizando esta técnica. Es asombrosamente fácil de lograr un resultado magnífico, de profesional. Siempre conviene hacer una muestra con la tela y el encaje de la labor para comprobar si queda como se deseaba y si el encaje es adecuado para el grosor de la tela. La técnica se explica aquí con una tira de encaje recta, pero también sirve para bordes a ondas.

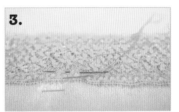

Arriba: encaje incrustado.

Consultar:

Puntos, página 23

Cómo se cose a máquina, página 21

Prender, página 24

Hilvanar, página 25

Costuras en línea recta, página 30

Empezar y terminar una costura, página 31

Coser una cinta o un galón, página 90

Utilizar preferentemente para:

Telas finas

1 Prender el encaje sobre la tela donde se desee.

2 Colocar la tela, con el encaje prendido, con el derecho hacia abajo.

Guiándose por la parte visible de los alfileres, poner una tira de estabilizador desechable, cortada algo más ancha que el encaje, sobre el revés de la tela, donde está prendido el encaje.

3 Por el derecho, hilvanar todas las capas, cosiendo por dentro de los bordes del encaje. Quitar todos los alfileres.

4 Seleccionar en la máquina un zigzag estrecho y apretado. Colocar la tela en la máquina de modo que la aguja empiece a coser junto al borde del encaje: la posición exacta dependerá de cómo sea el borde del encaje. Éste lleva un borde delicado y la costura se hace justo por dentro de él. Se comprueba si está correctamente colocada la tela, bajando manualmente la aguja hasta

que toque el encaje y girándola para hacer un punto de zigzag completo. Seguir los pasos 2-3 de Coser una cinta o un galón para coser el encaje sobre la tela.

5 Poner la tela con el derecho hacia abajo y, con cuidado, retirar el estabilizador de la costura. Quizá haya que utilizar unas pinzas para quitar los restos de los puntos sin tirar de éstos.

6 Con tijeras pequeñas y de punta fina, con mucho cuidado, recortar la tela entre las costuras en zigzag. Cortar lo más cerca posible de las puntadas, sin llegar a ellas.

Arriba: flor bordada en movimiento libre.

Bordado en movimiento libre

Estas explicaciones son una sencilla introducción al amplio e interesante mundo del bordado a máquina, un mundo que, espero, todos se animen a explorar. Leer la sección correspondiente en el manual de la máquina de coser porque las distintas máquinas tienen diferentes formas de seleccionar el bordado en movimiento libre. Sin duda habrá que bajar los dientes de arrastre, o bien adaptar un prensatelas de bordar (a veces llamado de zurcir) o bien quitarlo sin más. En este caso hay que tener mucho cuidado de no pincharse los dedos. Desplazar la tela bajo la aguja sujetando la parte exterior del bastidor, sin mover la tela con los dedos.

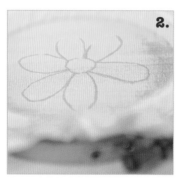

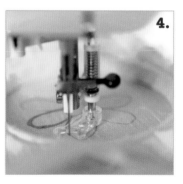

Consultar:
Cómo funciona una máquina de coser, página 10
Puntos, página 23
Cómo se cose a máquina, página 21

Utilizar preferentemente para:
Todas las telas

1 Con un marcador para tela, dibujar el motivo sobre ésta.

2 Colocar la tela sobre un trozo de estabilizador desechable de igual tamaño y poner ambas capas en un bastidor de bordar. Ponerlas de manera que el aro interno quede encima y no debajo de la tela.

3 Seleccionar en la máquina un punto recto con largo de puntada cero, bajar los dientes de arrastre y adaptar un prensatelas de bordar. Colocar la tela en la máquina con la aguja a un lado del motivo. Girar la rueda manual para bajar y subir la aguja, tirando de una presilla del hilo de la canilla hacia la derecha. Sujetar los dos hilos hacia la derecha al empezar a coser. Después de unas puntadas se pueden cortar.

4 Como los dientes de arrastre están bajados, la velocidad y dirección en que se mueva el bastidor son las que controlan el largo y la dirección de las puntadas. Sujetar el bastidor por un lado u otro y moverlo de manera que la aguja empiece a coser sobre el motivo. Pisar despacio el pedal para empezar a coser y desplazar el bastidor para que la línea de puntos siga la línea dibujada. Se puede ir hacia delante o hacia atrás para bordar la línea del grosor que se desee.

Forrar el aro

Forrando el aro interno del bastidor de bordar con una tela fina cortada al bies (ver Hacer una tira al bies para ribetear, página 74), se sujeta mejor la tela del bordado, con menos probabilidades de que se marque o se estropee. Basta con enrollar la tira de tela alrededor del aro, sujetando el final por dentro con unas puntadas pequeñas.

Aplicaciones

Existen varios tipos de aplicaciones, y el que aquí se presenta es el que más se utiliza con la máquina de coser. Al igual que en el caso de los bordados, se pueden explorar muchas otras técnicas.

1.

2.

Consultar:
Puntos, página 23
Cómo se cose a máquina, página 21

Utilizar preferentemente para:
Todas las telas

Arriba: aplicación de un motivo de corazón.

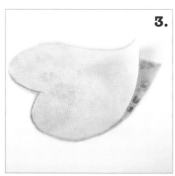
3.

4.

5.

1 Siguiendo las indicaciones del fabricante, pegar con la plancha una gasilla termoadhesiva por el revés de la pieza de tela.

2 Dibujar a lápiz el motivo sobre la trasera de papel de la gasilla. Tener en cuenta que el dibujo que se haga por el revés quedará invertido visto por el derecho; es importante si se dibujan por ejemplo letras o números.

3 Recortar el motivo y despegar la trasera de papel.

4 De nuevo, siguiendo las indicaciones del fabricante, pegar con la plancha el motivo sobre el derecho de la tela de fondo.

5 Seleccionar en la máquina un zigzag ancho y apretado; se conoce como punto de satén. Girar la rueda hasta que la aguja se desplace a la derecha. Colocar la tela en la máquina de modo que cuando baje la aguja a la derecha de la puntada, perfore la tela justo por fuera del motivo. Cosiendo despacio, hacer un punto de satén todo

alrededor del motivo. Si hay que pivotar la tela (por ejemplo en una esquina), detener la costura con la aguja clavada en la tela a la derecha de la puntada. Levantar el prensatelas, girar la tela según se necesite y luego seguir cosiendo. De este modo, la línea de costura queda lisa.

Patchwork

El patchwork cosido a máquina es un tema muy amplio y existe una infinidad de libros especializados que detallan las distintas técnicas y los dibujos de los bloques. Aquí se ofrece una pequeña visión de lo que se puede hacer colocando cuadraditos y cosiéndolos. Cuanto mayor sea la precisión al cortar, coser y casar las costuras, mejor quedará el patchwork.

Arriba: patchwork sencillo.

Consultar:

Puntos, página 23
Cómo se cose a máquina, página 21
Prender, página 24
Planchado, páginas 26-27
Costuras en línea recta, página 30
Empezar y terminar una costura, página 31
Rematar bordes, página 32
Costuras abiertas, página 34
Costuras cruzadas, página 39

Utilizar preferentemente para:
Telas ligeras e intermedias

1 Cortar cuadrados de distintas telas, del tamaño deseado más 5 mm todo alrededor. Seleccionar en la máquina un punto recto mediano. Poniendo derecho con derecho y dejando un margen de costura de 5 mm (aquí resulta muy útil un prensatelas para patchwork con pata de 5 mm), prender y luego coser a máquina los cuadrados de tela uno con otro para hacer una tira del largo deseado. Repetir el proceso para hacer las tiras necesarias.

2 Recortar las esquinas de los márgenes en diagonal, como en la fotografía.

3 Planchar las costuras abiertas.

4 Poniendo derecho con derecho, prender las tiras una con otra, con cuidado de casar las costuras.

5 Dejando un margen de 5 mm, coser a máquina las tiras una con otra para hacer el patchwork.

Acolchar

Lo mismo que para el patchwork, el acolchado a máquina ofrece numerosas posibilidades, aunque aquí solamente exploramos los principios básicos. De cualquier modo, son principios importantes que se pueden ampliar fácilmente. No olvidar comprobar siempre la tensión en una muestra realizada con retales de todas las telas.

Arriba: muestra de tela acolchada.

Consultar:
Puntos, página 23
Cómo se cose a máquina, página 21
Prender, página 24
Hilvanar, página 25
Costuras en línea recta, página 30
Empezar y terminar una costura,
    página 31

Utilizar preferentemente para:
Telas finas e intermedias

1 Se necesita una tela principal, guata y una trasera, estas dos últimas 5 cm mayores que la tela principal. Aquí se utiliza guata de lana. Disponer las capas colocando la trasera con el derecho hacia abajo, luego la guata (casando los cantos) y después la tela principal con el derecho hacia arriba, centrada. Prender las capas por los bordes.

2 Empezando en una esquina, hilvanar en diagonal hasta la esquina contraria. Repetir en la otra dirección, haciendo una X. Luego hilvanar en forma de cruz, trabajando desde el centro hasta los lados opuestos y repitiendo en la otra dirección. Quitar los alfileres cuando no se necesiten. Por último, hilvanar los bordes. Este hilvanado lleva mucho tiempo, pero evita que las capas patinen al acolchar a máquina y merece la pena hacerlo. Ahora bien, si la labor es pequeña (quizá menos de 20 cm), entonces puede ser suficiente con hilvanar una cruz en diagonal y los bordes.

3 Para acolchar formando un dibujo de rayas sencillo, se empieza en el centro de un borde. Seleccionar en la máquina un punto recto mediano y enhebrar la máquina con hilo de acolchar si fuera necesario, aunque se puede usar hilo normal. Si se dispone de prensatelas andador para acolchar, se utiliza, si no, se usa un prensatelas recto. Hacer la costura a máquina cruzando la tela, dando unas puntadas hacia atrás en cada extremo.

4 Existe una barra de acolchado que se adapta al prensatelas y permite seleccionar el ancho deseado. Colocar la tela en la máquina de modo que el extremo de la barra apoye sobre la primera línea de costura. Coser a máquina cruzando la tela, manteniendo el extremo de la barra sobre la costura anterior. Seguir así, cosiendo varias líneas cruzando la tela en una misma dirección. Luego girar la barra y coser el mismo número de líneas en la otra dirección. Seguir hasta terminar de acolchar la tela.

Mis labores

Ahora que se sabe coser, ¿qué labor elegir? Los conocimientos recién adquiridos y un poco de práctica permiten ya confeccionar prendas de vestir elegantes, accesorios atractivos, acogedoras labores para la casa y cualquier cosa que se quiera coser. Aquí se presentan unos proyectos especialmente diseñados, fáciles de confeccionar, con los que adentrarse en el fabuloso mundo de la costura.

Cremallera y falda

Con su vuelo tan favorecedor y el bajo con un bonito remate de pañuelo, esta falda tan fácil de confeccionar sienta bien a todos los tipos y tallas. Si el largo de la falda baja más allá de la media pantorrilla por la espalda, las puntas del bajo pueden arrastrar por delante, pero aparte de eso, no hay más normas. La holgura en la cintura permite que la falda encaje en las caderas, adaptándose a todos los tipos, y se puede colocar con la V en el delantero, como en la fotografía, o en un costado. Podemos confeccionarla con cualquier tela, aunque si es muy gruesa, el drapeado no resulta tan bonito.

Se necesita:

Una pieza de tela del largo deseado para la falda en el centro de la espalda más 7 cm, por el contorno de cintura más 2 cm de holgura, más el doble del largo de la falda más 7 cm. (Por ejemplo, si la falda mide 65 cm en el centro de la espalda, el largo de la tela será de 65 cm + 7 cm = 72 cm. Si el contorno de cintura es de 71 cm, el ancho de la tela será de 71 cm + 2 cm + 65 cm + 65 cm + 7 cm = 210 cm. Se pueden unir las piezas de tela con una costura abierta en el centro de la espalda

Plancha

Tabla de planchar

Alfileres

Tijeras

Calibre de costura

Cinta métrica

Máquina de coser

Hilo de coser coordinado con la tela

Aguja de coser a mano

Hilo de hilvanar

Una cremallera que mida 6 cm menos que el largo deseado para la falda

Corchete para abrochar

Consultar:

Puntos, página 23

Cómo se cose a máquina, página 21

Prender, página 24

Hilvanar, página 25

Planchado, páginas 26-27

Costuras en línea recta, página 30

Empezar y terminar una costura, página 31

Costuras abiertas, página 34

Dobladillo, página 43

Dobladillo en esquina, páginas 46-47

Cremallera centrada, páginas 52-53

Acortar una cremallera, página 57

Elección de la cremallera

Las cremalleras estándar para vestido existen en una gran variedad de colores, pero si se puede encontrar una cremallera de separación del color adecuado, se puede utilizar en lugar de la otra. En ese caso, se elige una que mida 4 cm menos que el largo de la falda. Dejar sin hacer una sección de la costura y coser la cremallera con el método Cremallera de separación (página 55).

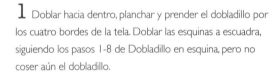

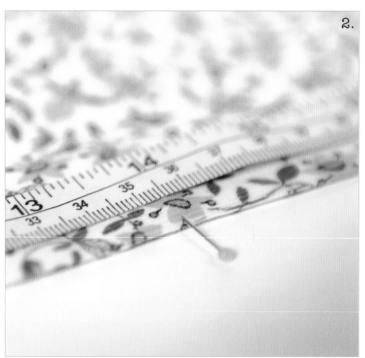

1 Doblar hacia dentro, planchar y prender el dobladillo por los cuatro bordes de la tela. Doblar las esquinas a escuadra, siguiendo los pasos 1-8 de Dobladillo en esquina, pero no coser aún el dobladillo.

2 Doblar la tela por la mitad a lo ancho y poner un alfiler en el doblez: es el centro de la espalda. Medir la mitad del contorno de cintura más 1 cm por cada lado del doblez y poner unos alfileres: indican el comienzo de la cremallera. Drapear la tela en torno a la cintura, prendiéndola en el comienzo de la cremallera, y comprobar que la cintura queda cómoda y que la falda tiene el largo deseado.

3 Poniendo derecho con derecho, doblar de nuevo la tela por la mitad. En el borde de la cintura, abrir el dobladillo planchado arriba de la esquina a escuadra y prender las capas juntas a lo largo del segundo doblez del dobladillo, prendiendo hasta los alfileres que indican el comienzo de la cremallera.

4 Poner alfileres horizontales a 4 cm y 6 cm de la esquina. Seleccionar en la máquina un punto recto mediano. Coser a máquina por el doblez planchado entre los alfileres, dando unas puntadas hacia atrás en los extremos para afianzar la costura.

5 Hilvanar a lo largo del doblez planchado desde el final de la costura hecha a máquina hasta los alfileres que indican el comienzo de la cremallera.

6 Colocar la cremallera con el tirador justo debajo de los alfileres; el final debe quedar justo por dentro de la sección cosida a máquina. Prender, hilvanar y coser la cremallera a máquina en su sitio. Quitar todos los hilvanes.

7 Coser a mano el corchete y la anilla a los galones de la cremallera, justo arriba del tirador.

8 Coser a máquina el dobladillo todo alrededor de la tela, pivotando en las esquinas.

Dormir a gusto

Las fundas de almohadones son muy fáciles de confeccionar y la manera perfecta de animar un juego de cama liso. Se hacen de algodón de buena calidad (el que se vende para patchwork es estupendo) si se van a utilizar de almohada, y de la tela que más guste si van a ser meramente decorativas. Incluso se puede hacer una banda a juego para la cama para completar la decoración. La de aquí está acolchada con costuras a espacios irregulares para lograr un aire contemporáneo que armonice con el dibujo de la tela.

Se necesita:

Para la funda de almohadón:

Una pieza de tela que mida dos veces
    el largo del almohadón más 20 cm,
    por el ancho más 3 cm.

Hilo de coser coordinado con la tela

Para la banda:

Dos piezas de la tela principal, cada una
    del ancho de la cama más 40 cm, por
    el ancho que se desee para la banda
    más 3 cm. (Se puede unir la tela con
    una costura abierta para obtener el
    ancho adecuado)

Una pieza de tela para la trasera y una
    de guata de poliéster que midan 5 cm
    más todo alrededor que la tela
    principal

Hilo de hilvanar

Aguja de coser a mano

Hilo de acolchar más oscuro que la tela
    principal

Hilo de coser coordinado con la tela
    principal

Para ambas:

Calibre de costura

Cinta métrica

Plancha

Tabla de planchar

Alfileres

Máquina de coser

Tijeras

Consultar:

Puntos, página 23

Cómo se cose a máquina, página 21

Prender, página 24

Hilvanar, página 25

Planchado, páginas 26-27

Costuras en línea recta, página 30

Empezar y terminar una costura,
    página 31

Rematar bordes, página 32

Costuras abiertas, página 34

Dobladillo, página 43

Acolchar, página 95

Funda de almohadón

1 Seleccionar en la máquina un punto recto mediano y, en un lado corto de la pieza de tela, hacer un dobladillo.

2 En el lado opuesto, hacer un dobladillo estrecho, volviendo 1 cm en cada doblez.

3 Medir el largo del almohadón desde el borde con el dobladillo normal hecho en el paso 1. Poniendo revés con revés y casando los cantos de la tela, marcar con la plancha un doblez atravesado en la tela en esa medida.

4 Volver la tela derecho con derecho y doblarla por el doblez, casando de nuevo los cantos. Sobresalen por fuera del dobladillo unos 14 cm de tela: doblar esta sección, con el derecho hacia abajo, por encima del dobladillo.

5 Prender los cantos uno con otro; son las costuras laterales. Dejando un margen de 1,5 cm, hacer a máquina las costuras laterales. Hacer un zigzag por encima de los márgenes de costura unidos. Volver la funda del derecho y plancharla.

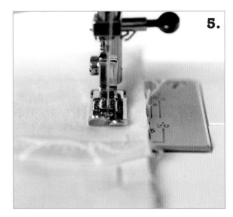

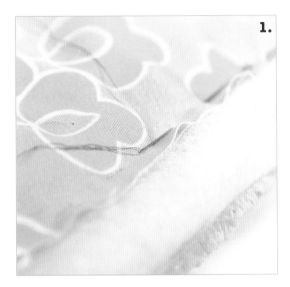

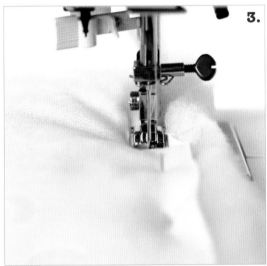

Banda

1 Montar las capas —la trasera con el derecho hacia abajo, encima la guata, y una pieza de la tela principal con el derecho hacia arriba—. Hilvanar una diagonal y en vertical y horizontal en cruz, uniendo todas las capas, y luego hilvanar por los bordes.

2 Seleccionar en la máquina un punto recto mediano y enhebrarla con hilo de acolchar. Enrollar la banda lo más apretada posible para que el rollo quepa por dentro de la máquina, a la derecha de la aguja. Acolchar una serie de líneas verticales a intervalos irregulares, de un lado largo a otro. Si se han unido piezas de tela, comprobar que las líneas de acolchado coincidan con esas costuras para esconderlas —lo que se llama acolchar sobre costura—. Quitar los hilvanes.

3 Poniendo derecho con derecho, colocar la otra pieza de tela principal encima de la pieza acolchada. Prender las capas juntas por los bordes. Hacer a máquina una costura por el borde, con un margen de 1,5 cm, y dejar una abertura de 15 cm a un lado de un borde largo. Hacer un zigzag sobre los márgenes de costura unidos y recortar la guata sobrante.

4 Volver la banda del derecho por la abertura. Planchar los bordes y cerrar la abertura a punto deslizado.

Cocinar con clase

Para la reina de la casa, un delantal tan bonito que apetecerá llevarlo fuera de la cocina. Es fácil de confeccionar y no requiere mucha tela, por eso se puede hacer uno que combine con cada vestido de fiesta y convertirse en la cocinera más elegante de los alrededores. Esta versión va bordeada con un piquillo, pero se puede elegir un galón a juego con la tela.

Se necesita:

Una pieza de la tela principal que mida la mitad del contorno de cintura más 26 cm, por el largo deseado del delantal más 6 cm

Marcador para tela

Compás o plato llano

Tijeras

Calibre de costura

Plancha

Tabla de planchar

Alfileres

Piquillo mediano suficiente para cubrir los bordes con dobladillo del delantal y el contorno de cintura más 5 cm

Aguja de coser a mano

Hilo de hilvanar

Máquina de coser

Hilos de coser coordinados con las telas y el piquillo

Dos piezas de tela de color contrastado y una pieza de entretela termoadhesiva, del largo del contorno de cintura más 10 cm, por 9 cm

Suficiente piquillo ancho para el contorno de cintura más 5 cm

Botón para forrar de 28 mm

Un trocito de tela principal

Patrón de la página 127

Consultar:

Puntos, página 23

Cómo se cose a máquina, página 21

Cortar, página 25

Prender, página 24

Hilvanar, página 25

Planchado, páginas 26-27

Costuras en línea recta, página 30

Empezar y terminar una costura, página 31

Dobladillo, página 43

Curva hacia fuera, página 69

Jaretón en curva, página 45

Ojales automáticos, página 58

Tablas, página 88

Coser un piquillo, página 90

Elección de la tela

Si el delantal va a ser tan práctico como bonito, hay que elegir unas telas y galones que resistan los lavados con agua caliente, necesarios para eliminar manchas de comida. El algodón para patchwork es una buena idea, aunque carece de cuerpo para que el delantal tenga buen apresto.

1 Redondear las dos esquinas inferiores de la tela principal: se puede hacer con compás o dibujando el contorno de un plato llano. Recortar la tela sobrante. Doblar hacia dentro y prender e hilvanar un dobladillo de 1,5 cm en los costados, en las curvas y en el borde inferior.

2 Prender el piquillo mediano sobre los bordes con dobladillo. Seleccionar en la máquina un punto recto mediano y coser a máquina el piquillo, cosiendo al mismo tiempo el dobladillo. Quitar los hilvanes.

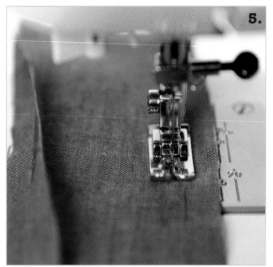

3 En el canto de arriba de la tela, hacer dos tablas a distancias iguales. Cada tabla lleva 10 cm de tela y se sitúa a unos 10 cm de los bordes con dobladillo. Coser 5 cm hacia abajo cada tabla y luego abrirlas para hilvanarlas por arriba.

4 Pegar con la plancha la entretela sobre una de las piezas de tela de color contrastado; será el interior de la cinturilla. Ampliar el patrón un 150% y recortarlo. Doblar por el centro la tela a lo largo y prender sobre ella el patrón, con el lado corto sobre el doblez. Recortar la figura, prolongándola más allá de las líneas a picos, hasta el borde de la tela. Cortar igual la segunda pieza de tela de color contrastado.

5 Doblar y planchar 1 cm a lo largo del borde recto de las dos piezas contrastadas. Abrir de nuevo el doblez. Poniendo derecho con derecho, prender las dos piezas. Dejando un margen de 1,5 cm, hacer una costura a máquina por los lados cortos y por el borde superior en curva.

6 Volver la cinturilla del derecho. Planchar la costura y volver a planchar el doblez a lo largo del borde recto.

7 Hacer un ojal en un extremo de la cinturilla, centrándolo y situándolo en horizontal.

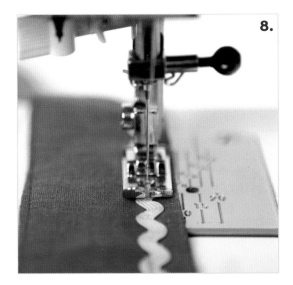

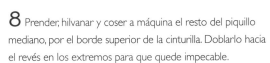

8 Prender, hilvanar y coser a máquina el resto del piquillo mediano, por el borde superior de la cinturilla. Doblarlo hacia el revés en los extremos para que quede impecable.

9 Poner unos alfileres marcando el centro de la cinturilla y el centro del delantal. Colocar la cinturilla con el derecho hacia arriba, alisándola. Casar los alfileres, meter 1,5 cm de la parte de arriba del delantal entre los bordes doblados y planchados de la cinturilla todo a lo largo, prendiendo las capas conforme se casan.

10 Hacer una costura a máquina a lo largo de la cinturilla, junto a los bordes doblados. Quitar todos los hilvanes.

11 Prender y luego hilvanar el piquillo sobre la costura a lo largo de la cinturilla. En el delantero, donde se une el delantal con la cinturilla, bajar ligeramente el piquillo para tapar la unión entre las telas. Coser el piquillo a máquina, doblando hacia dentro los extremos para que quede impecable. Quitar los hilvanes.

12 Siguiendo las indicaciones del fabricante, forrar el botón con un trocito de la tela principal. Coser el botón a la cinturilla, alineándolo con el ojal del otro extremo.

Comprar con estilo

Esta bolsa ecológica, atractiva y fácil de confeccionar, se puede hacer de tela fuerte y del tamaño que se necesite, con sólo alterar las medidas. Las costuras escondidas y reforzadas son resistentes y mantienen el interior de la bolsa limpio, sin hebras o cantos que se deshilen y se enreden con las compras. Elegir una tela a tono con el abrigo, para ir a la compra bien conjuntada.

Se necesita:

Dos piezas de tela principal, cada una de 35 × 38 cm

Máquina de coser

Hilos de coser coordinados con las telas

Calibre de costura

Plancha

Tabla de planchar

Alfileres

35 cm de galón al bies de 2,5 cm de ancho

Cinta métrica

Dos piezas de tela principal, cada una de 12 × 35 cm

Una pieza de tela de color contrastado, de 67 × 7 cm

Tijeras

Aguja de coser a mano

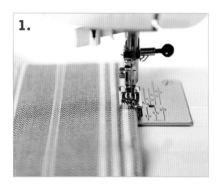

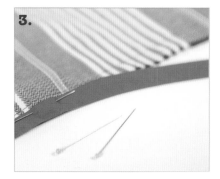

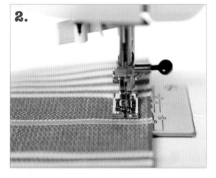

1 Seleccionar en la máquina un punto recto mediano. Poniendo derecho con derecho y haciendo una falsa costura francesa, coser las dos piezas grandes de tela principal por los dos lados largos. Planchar las costuras aplastadas.

2 Comprobando que las costuras de los costados quedan a los lados, coser un lado corto del tubo de tela.

3 Planchar hacia dentro 1,5 cm a cada lado del galón al bies y plancharlo doblado por la mitad a lo largo. Prender el bies sobre el lado corto cosido, por encima del margen de costura, y coserlo con un zigzag.

4.

5.

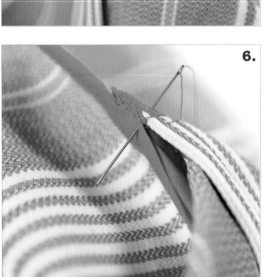

6.

7.

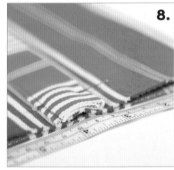

8.

4 Aplastar una esquina de la bolsa, colocándola de modo que la costura del costado quede alineada con los lados opuestos de la punta. Planchar la esquina aplastada y prenderla.

5 Medir 7 cm sobre la costura del costado a partir de la punta y dibujar una línea atravesada sobre la esquina, perpendicular a la costura. Hacer una costura a máquina sobre la línea, dando unas puntadas hacia atrás en los extremos. Coser la esquina del otro lado de igual modo.

6 Coser a mano las puntas de las esquinas con la costura ribeteada del fondo de la bolsa.

7 Hacer una cinta de atar con cada una de las piezas pequeñas de tela principal, pero sin volver hacia dentro los extremos cortos. Esas cintas serán las asas.

8 Volver la bolsa del derecho y ponerla lisa. Prender un extremo de un asa sobre el frente de la bolsa, a 8 cm de la costura lateral de la izquierda y con la costura mirando hacia la derecha. Casar el borde del asa con el canto de arriba de la bolsa.

Elección de la tela

He utilizado una tela tradicional de cutí para hacer mi bolsa de la compra. Una loneta, un denim o una lona son también adecuados. En caso de duda de que las asas queden fuertes para resistir el peso de la compra, se pueden coser con una cinta de grosgrain entre los dobleces antes de coser los bordes.

9 Con la costura mirando hacia la izquierda (y asegurándose de no retorcer el asa), prender el otro extremo al frente de la bolsa, a 8 cm de la costura lateral de la derecha. Prender la otra asa al otro lado de la bolsa, de igual modo. Coser a máquina ida y vuelta cada extremo del asa, varias veces, a 1 cm del borde. En este momento las asas parece que están cosidas boca abajo.

10 Unir los lados cortos de la tira de tela contrastada, haciendo una costura abierta y rematando los márgenes con un zigzag. Planchar hacia dentro 1,5 cm por un borde largo.

11 Poniendo derecho con derecho y casando los cantos y la costura abierta con una costura lateral de la bolsa, prender la tira de tela contrastada arriba de la bolsa.

12 Coser a máquina la tela contrastada arriba de la bolsa, dejando un margen de costura de 1,5 cm. Recortar los márgenes, rematarlos con un zigzag y coserlos por dentro, como un jaretón con vista. Volver la tela contrastada hacia dentro de la bolsa y planchar el borde superior. Las asas quedan ahora bien, hacia arriba. Aplastar la tira contrastada sobre el interior de la bolsa, prender y luego hacer una costura a máquina en el borde inferior.

Envuelta en volantes

Este chal, realizado en dupión de seda, es un elegante accesorio para noche, pero es muy versátil y la sencillez de su diseño hace que confeccionado con otra tela resulte una prenda distinta. Si se hace de lana fina, para encima de una prenda de abrigo en invierno, es un extra lleno de glamour, y en una tela de algodón graciosa aporta un aire vintage a un vestido de verano.

Se necesita:

Una pieza de tela de 16 × 350 cm (se puede hacer uniendo piezas más pequeñas con costuras abiertas)

Máquina de coser

Hilo de coser coordinado con la tela

Calibre de costura

Plancha

Tabla de planchar

Cinta métrica

Dos piezas de tela de 40 × 140 cm

Compás o plato llano

Marcador para tela

Tijeras

Alfileres

Hilo de hilvanar

Aguja de coser a mano

Consultar:

Puntos, página 23

Cómo se cose a máquina, página 21

Prender, página 24

Hilvanar, página 25

Planchado, páginas 26-27

Costuras en línea recta, página 30

Empezar y terminar una costura, página 31

Rematar bordes, página 32

Costuras abiertas, página 34

Curva hacia fuera, página 69

Galón integrado en una costura, página 82

Volante fruncido, página 86

Chal a dos colores

Se pueden elegir dos telas de distinto color para las caras del chal. Tener en cuenta que el volante se ve por las dos caras, por lo que debe combinar con las dos. También se puede optar por dos tipos distintos de tela, siempre que se laven igual.

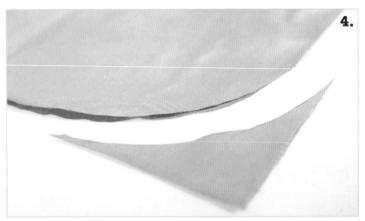

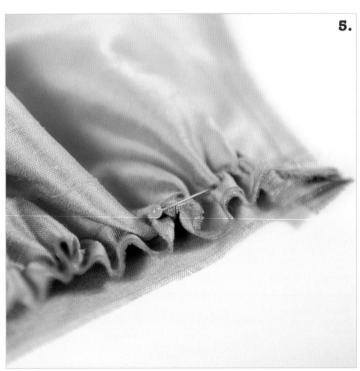

1 Seleccionar en la máquina un punto recto mediano. En cada lado corto de la tira larga de tela, hacer un dobladillo de 1 cm.

2 Seleccionar en la máquina un punto recto largo y aflojar la tensión. Doblar la tira de tela por la mitad a lo largo, casando los cantos. Tratando las dos capas como una sola, hacer una línea de frunces a lo largo de los cantos. No olvidar volver a ajustar la tensión en cuanto se termine el frunce.

3 Tirar de los frunces y repartirlos hasta tener una tira de unos 2 m de largo.

4 Colocar las piezas grandes de tela una encima de otra. Redondear las dos esquinas inferiores dibujando el contorno de un plato llano y recortar la tela sobrante. Doblar y planchar 1 cm del borde recto de arriba.

5 Poniendo derecho con derecho, colocar una pieza grande y alisarla. Empezando en un borde superior planchado y casando los cantos, prender el volante a la tela.

6.

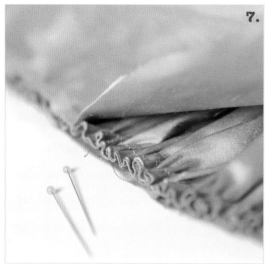

7.

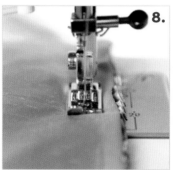

8.

9.

10.

6 Prender el volante por los bordes redondeados de la tela, terminando al otro lado, en el borde planchado de arriba. Rectificar los frunces si hiciera falta. Hilvanar el volante en su sitio.

7 Poniendo el derecho hacia abajo, colocar la otra pieza grande de tela encima de la pieza con volante. Prender las piezas por el borde con volante.

8 Seleccionar en la máquina un punto recto mediano. Coser las capas uniéndolas con un margen de costura de 1,5 cm. Quitar los hilvanes, dar cortes en las curvas y rematar los márgenes juntos con un zigzag.

9 Volver el chal del derecho y, con cuidado, planchar la costura, tratando de no planchar ni aplastar los frunces.

10 Casar los bordes de arriba doblados y prenderlos. Coserlos a máquina lo más cerca posible del borde.

Bien atado

Los cojines son proyectos muy adecuados para quienes se inician en la costura; fáciles y rápidos de hacer, no exigen mucha tela y resultan decorativos. Los pasos que aquí se indican son para una funda con cintas para atar, pero el mismo principio se aplica a las variaciones con botones y presillas de rulo.

Se necesita:

Una pieza de tela de 30 ×100 cm

Cuatro largos de grosgrain de 1,6 cm
   de ancho, cada uno de 60 cm

Cinta métrica

Alfileres

Calibre de costura

Hilo de hilvanar

Aguja de coser a mano

Máquina de coser

Hilo de coser coordinado con la tela

Tijeras

Plancha

Tabla de planchar

Relleno de cojín de 30 ×45 cm

Consultar:

Puntos, página 23

Cómo se cose a máquina, página 21

Prender, página 24

Hilvanar, página 25

Planchado, páginas 26-27

Costuras en línea recta, página 30

Empezar y terminar una costura,
   página 31

Rematar bordes, página 32

Costuras abiertas, página 34

Dobladillo, página 43

Ojales automáticos, página 58

Presillas de rulo, páginas 62-63

VARIACIONES

La funda abrochada con botones se confecciona igual que la atada con lazos, pero se debe hacer el jaretón lo bastante ancho para que quepan bien los ojales (habrá que aumentar la cantidad de tela en consonancia). Hacer los ojales, doblar primero el extremo de los ojales por encima. Hacer la funda y coser los botones casándolos con los ojales.

Para abrochar con presillas de rulo, hay que cortar una vista de tela. Hacer las presillas y colocarlas en un borde estrecho de la tela de la funda. Coser la vista sobre ellas, doblar hacia atrás y planchar la costura. Este extremo de la funda se dobla primero por encima. Hacer la funda y coser los botones casándolos con las presillas.

1 En un borde corto de la tela, colocar un trozo de cinta por el derecho, a 10 cm del borde largo y paralelo a él. Casar un canto de la cinta con el canto de la tela. Poner otro trozo de cinta igual, pero a 10 cm del otro borde largo. Prender las cintas en su sitio.

2 Doblar un dobladillo de 1 cm, incluyendo en él los extremos de las cintas. Hilvanar el dobladillo, comprobando que las cintas quedan perpendiculares al borde.

3 Seleccionar en la máquina un punto recto mediano. Coser el dobladillo junto al doblez interior y luego hacer otra costura, junto al doblez exterior.

4 En el otro lado corto de la tela, hacer un dobladillo a máquina de 1 cm. Medir hacia abajo 8 cm desde el borde. Prender el final de un trozo de cinta sobre la tela a esa distancia, situándolo a 10 cm del canto y paralelo a él. Colocar el último trozo de cinta igual, a 10 cm del otro canto.

5.

6.

7.

8.

9.

5 Seleccionar en la máquina un zigzag muy estrecho y apretado. Coser sobre una cinta por un lado 1 cm, luego cruzar sobre ella y subir 1 cm por el otro lado para cruzar hasta el comienzo de la costura. Coser el otro trozo de cinta igual, en cuadro.

6 Enrollar cada cinta y prenderla para quitarla de en medio. Con el derecho hacia arriba, extender la tela. Medir 16 cm desde el extremo con las cintas cosidas al dobladillo y doblar por ahí la tela.

7 Medir 30 cm desde el otro extremo y doblar por ahí la tela. Este extremo montará sobre el primer lado doblado.

8 Prender los cantos uno con otro. Coserlos a máquina dejando un margen de 1,5 cm y luego hacer un zigzag sobre los márgenes de costura juntos.

9 Volver del derecho la funda de cojín y plancharla. Meter el relleno y atar las cintas formando una lazada. Cortar las puntas de las cintas en diagonal.

Pulsera-puño

Este puño convertido en una bonita pulsera se hace de un color a tono con un traje de fiesta: si se dispone de tela del vestido, se puede cortar una pieza para confeccionar lo último en bisutería coordinada. Se necesitan unos trocitos de galón, que seguramente se tienen en el costurero, y se le pueden añadir botones y cuentas de adorno.

Se necesita:

Dos piezas de tela y una pieza de entretela termoadhesiva cada una de un largo igual al contorno de la muñeca más 2 cm, y de 8 cm de ancho

Tijeras

Cinta métrica

Plancha

Tabla de planchar

Trocitos de cinta y de piquillo, cada uno de al menos 8 cm de largo

Calibre de costura

Alfileres

Aguja de coser a mano

Hilo de hilvanar

Máquina de coser

Hilos de coser a tono con la tela y las cintas

4 ojetes pequeños

Kit para poner ojetes

20 cm de cinta de organdí

Consultar:

Puntos, página 23

Cómo se cose a máquina, página 21

Prender, página 24

Hilvanar, página 25

Planchado, páginas 26-27

Costuras en línea recta, página 30

Empezar y terminar una costura, página 31

Rematar bordes, página 32

Costuras abiertas, página 34

Coser una cinta o un galón, página 90

Coser un piquillo, página 90

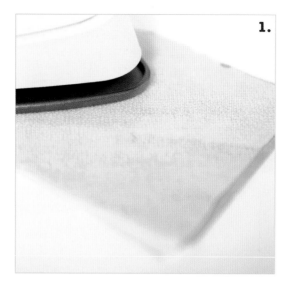

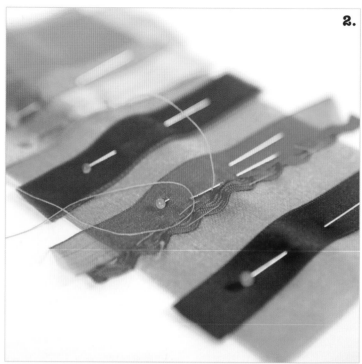

1.

2.

1 Pegar con la plancha la entretela sobre el revés de una de las piezas de tela; será el derecho del puño.

2 Colocar las cintas y el piquillo sobre la tela entretelada, manteniéndolos a 2 cm de los lados cortos. Cuando guste la colocación, prender y luego hilvanar las cintas en su sitio. Si se desea solapar las cintas, habrá que hilvanar y coser a mano las cintas de debajo antes de hilvanar las de encima.

3.

3 Coser a máquina cada trozo de cinta sobre la tela. Quitar los hilvanes.

4 Poner, derecho con derecho, la otra pieza de tela encima de la pieza con cintas, casando los cantos. Prender las capas.

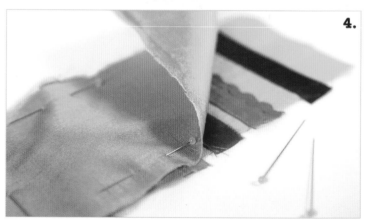

4.

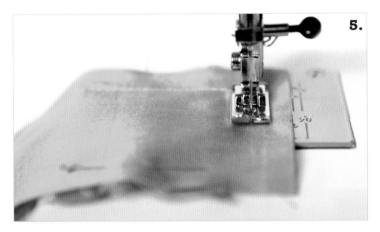

5.

6.

7.

8.

5 Hacer a máquina una costura por los bordes, dejando un margen de costura de 1,5 cm y pivotando en las esquinas. Dejar una abertura de 2,5 cm en un lado corto.

6 Cortar los picos de las esquinas y los trozos de cinta que sobresalgan y volver el puño del derecho.

7 Planchar las costuras y cerrar la abertura a punto deslizado.

8 Siguiendo las indicaciones del fabricante del kit de ojetes, poner dos ojetes, con una misma separación, en cada extremo corto del puño, en los espacios sin cinta.

9 Atar el puño con una cinta de organdí.

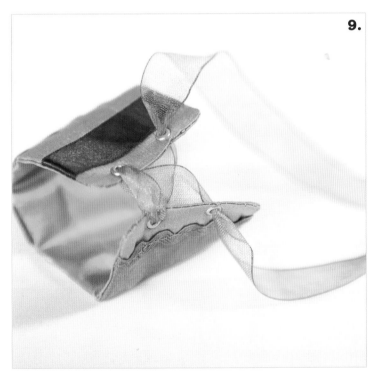

9.

Elección de la tela

Para este proyecto se necesita una tela fina. Si se elige una tela más gruesa, el volumen de las costuras con la entretela más los trozos de cinta y galón resultaría excesivo. Elegir mejor un dupión de seda, un algodón con apresto o un lino fino.

Glosario

Este libro se ha escrito con un mínimo de jerga especializada, pero algunos términos pueden resultar confusos. La siguiente lista recoge los más utilizados y una explicación de lo que significan realmente.

Aplicación: técnica decorativa que consiste en recortar una figura de tela y coserla sobre otra tela (ver Aplicaciones, página 93).

Canto: borde de la tela cortado, sin remates de costura o de ribeteado (ver Rematar bordes, página 32).

Coser por dentro: hacer una costura por dentro del margen para mantener aplastada una vista (ver Presillas de rulo, páginas 62-63).

Dar cortes: hacer pequeños cortes en el margen de costura con la punta de las tijeras (ver Curva hacia fuera, página 69).

Derecho: es la cara de una tela que quedará hacia fuera en la labor terminada.

Dientes de arrastre: son los "dientes" que hay bajo la placa de agujas de la máquina de coser y que arrastran la tela por ella (ver Cómo funciona una máquina de coser, página 10).

Entretela: tela tejida o de punto que se utiliza como soporte y para dar rigidez a ciertas partes de una prenda de vestir y otras labores. La entretela termoadhesiva tiene una cara con pegamento activado por calor que se puede pegar sobre una tela (ver Presillas de rulo, páginas 62-63).

Esquina a escuadra: unión en ángulo de una esquina cuadrada (ver Dobladillo en esquina, páginas 46-47).

Estabilizador: producto que se aplica sobre el revés de una tela para reforzarla mientras se trabaja. Una vez terminada la labor, se retira el estabilizador. Existen distintos tipos adecuados a diversas labores y telas (ver Coser un encaje, página 91, y Bordado en movimiento libre, página 92).

Fruncir: hacer una costura a lo largo del borde de una pieza de tela y tirar del hilo con fuerza para fruncir la tela (ver Volante fruncido, página 86).

Gasilla termoadhesiva: pegamento de tela que se activa por calor y que viene sobre una trasera muy fina de papel (ver Aplicaciones, página 93).

Hilo de la tela: dirección en que se tejieron los hilos de la tela. Los de urdimbre van a lo largo y los de trama, a lo ancho. Cuando se corta la tela siguiendo uno de estos hilos, se dice que se corta "al hilo". A veces, si se corta en el sentido de la trama se dice "a contrahílo".

Hilvanar: coser capas de tela unidas para sujetarlas temporalmente hasta completar la costura definitiva.

Margen de costura: cantidad de tela entre el canto o borde cortado y las puntadas que forman la costura. En modistería, el margen de costura estándar es de 1,5 cm, aunque siempre se debe comprobar en el patrón la medida que requiere (ver Costuras en línea recta, página 30).

Margen de jaretón: cantidad de tela que se dobla para hacer un jaretón. Si se hace más de un doblez, el margen de jaretón es la cantidad total de tela que se necesita para todos los dobleces (ver Margen de jaretón, página 42).

Muesca: corte en V que se hace en el margen de costura con la punta de las tijeras (ver Curva hacia dentro, página 68).

Orillo: borde a lo largo de la tela que se forma durante la producción y que no se deshila (ver Jaretón sencillo, página 42).

Pinza: doblez en la tela que se utiliza para dar forma a una prenda de vestir (ver Pinzas, página 71).

Pivotar: clavar la aguja de la máquina en la tela, levantar el prensatelas y girar la tela en torno a la aguja para empezar a coser en otra dirección (ver Esquina cuadrada entrante, página 66, y Esquina cuadrada saliente, página 67).

Prensatelas: parte de la máquina de coser que mantiene la tela aplastada contra los dientes de arrastre mientras se cose. Existen distintos tipos de prensatelas para diversas labores de costura (ver Accesorios de la máquina de coser, páginas 14-15).

Rematar bordes: coser o ribetear los cantos de una tela para evitar que se deshilen (ver Rematar bordes, página 32).

Revés: cara de la tela que quedará mirando hacia dentro en el proyecto terminado.

Rulo: fina tira tubular al bies que se dobla y cose integrada en una costura para formar una presilla (ver Presillas de rulo, páginas 62-63).

Tela transparente: tela translúcida.

Tira al bies: tira de tela cortada formando un ángulo de 45° con el hilo. Estas tiras se pueden doblar para formar un ribete al bies (ver Hacer una tira al bies para ribetear, páginas 74-75).

Vista: pieza de tela que se cose sobre la tela principal y se vuelve luego hacia el revés para tapar los márgenes de costura (ver Presillas de rulo, páginas 62-63).

Patrón

Cocinar con clase, páginas 106-109
Patrón de la cinturilla; ampliar un 150%

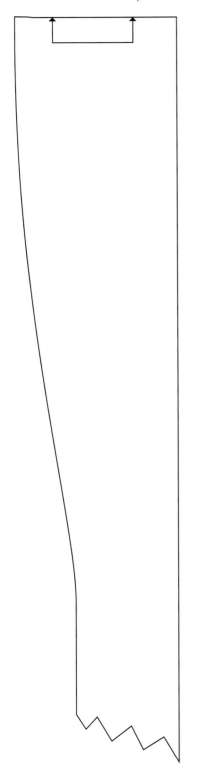

Agradecimientos

Gracias a Paula Breslich por encargar este libro y a Katie Hardwicke por asegurarse de darle sentido. Dominic Harris puso la elegancia y el estilo en sus fotografías y Louise Leffler fue la brillante diseñadora del libro. Laura Wheatly y Camilla Coburn Davis hicieron de espléndidas modelos. Y gracias siempre a Philip por cargar con todo.

Otros títulos publicados

Más información sobre estos y otros títulos en **www.editorialeldrac.com**

Índice alfabético